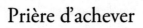

Prière d'achever

DU MÊME AUTEUR

Le Livre des choses perdues,
Éditions J'ai lu, *N° 9356*, 2010
(Grand Prix de l'imaginaire, Les étonnants voyageurs, 2010)
(Prix Imaginales, 2010)

John Connolly

Prière d'achever

Traduit de l'anglais (Irlande)
par Pierre Brévignon

OMBRES NOIRES

Ouvrage publié sous la direction de Caroline Lamoulie

Titre original :
*The Caxton Private Lending
Library & Book Depository*

Éditeur original :
Otto Penzler
The Mysterious Bookshop, New York

Pour la traduction française :
© Éditions Ombres Noires, 2014.
ISBN : 978-2-0813-4927-8

1

Commençons par dire ceci :

Vue de l'extérieur, l'existence menée par M. Berger pouvait sembler ennuyeuse. Un constat auquel M. Berger lui-même aurait sans doute souscrit.

Il était employé au service du Logement d'un modeste conseil municipal anglais en tant que « préposé au Registre des comptes clôturés ». Son travail, au fil des ans, consistait à recenser les bénéficiaires de logements sociaux qui, après avoir quitté ou abandonné leurs appartements, laissaient des arriérés sur leur compte. Qu'il s'agisse d'une semaine, d'un mois, voire d'un an de loyer (car les procédures d'expulsion sont compliquées et peuvent s'éterniser jusqu'à ce que la municipalité et le locataire entretiennent le même genre de relation qu'une armée faisant le siège d'une cité fortifiée), M. Berger inscrivait les sommes dues dans un épais livre comptable à reliure de cuir. À la fin de l'année, il devait comparer les loyers perçus réellement et ceux qui auraient dû l'être. S'il avait bien travaillé, la différence entre les deux totaux devait correspondre à la somme globale pointée dans le registre.

Même M. Berger trouvait cette activité fastidieuse à expliquer. Il était rare qu'une discussion avec un chauffeur de taxi, un voisin de train ou de bus, se prolonge au-delà de la description de son gagne-pain. Mais M. Berger ne s'en formalisait pas. Il ne se faisait aucune illusion sur son travail ou sur lui-même. Il s'entendait parfaitement avec ses collègues et les rejoignait volontiers en fin de semaine autour d'une pinte de bière, mais c'était tout. Il participait aux collectes pour les départs à la retraite, les cadeaux de mariage et les couronnes mortuaires. À une époque, il avait même cru qu'il ne tarderait pas à faire l'objet d'une collecte de ce genre car il avait entrepris la cour prudente d'une jeune collègue de la comptabilité. Ses avances avaient été accueillies de bonne grâce et donné lieu, de part et d'autre, à une parade nuptiale qui avait duré toute l'année, jusqu'à ce qu'un homme moins inhibé que M. Berger pénètre dans l'arène et que la jeune femme le délaisse pour son rival, sans doute fatiguée d'attendre que M. Berger franchisse ce qu'il percevait comme une zone d'exclusion autour de sa personne. Le fait que M. Berger ait participé à l'achat de leur cadeau de mariage sans une once d'amertume en dit long sur sa personnalité.

Son poste de préposé au registre ne payait ni bien ni mal, mais lui garantissait de quoi se vêtir, se nourrir, ainsi qu'un toit au-dessus de la tête. L'essentiel de ses économies était consacré aux livres. M. Berger menait une existence guidée par l'imagination et nourrie par les histoires. Son appartement était garni d'étagères qui accueillaient tous les livres qu'il aimait, rangés sans ordre particulier. Oh, bien sûr, il les regroupait par auteurs, mais il ne s'embarrassait pas de classement alphabétique ou thématique. À tout moment, il savait où poser la main pour trouver le volume qu'il cherchait, et c'était bien suffisant. L'ordre faisait le bonheur des esprits ternes – or M. Berger était bien moins terne qu'il pouvait y paraître. (Les gens malheureux ont tendance à considérer comme insipides les gens contents de leur sort.) Il arrivait parfois à M. Berger de se sentir un peu seul, mais il ne s'ennuyait jamais, il n'était jamais malheureux et les jours qui passaient se confondaient pour lui avec les livres qu'il lisait.

J'ai l'impression qu'en racontant son histoire, j'ai fait passer M. Berger pour un vieux monsieur. Mais il ne l'était pas. Il avait trente-cinq ans et, s'il ne courait pas le risque d'être pris pour un jeune premier, il ne manquait pas non plus de charme. Peut-être simplement quelque chose en lui le rendait-il, sinon asexué, du moins imperméable à la réalité concrète des relations avec le sexe opposé. Cette impression se trouvait renforcée par le souvenir collectif de ce qui s'était passé – ou plutôt, ne s'était pas passé – avec la fille de la comptabilité. Fatalement, M. Berger s'était retrouvé condamné à grossir les rangs poussiéreux des célibataires et des vieilles filles de l'administration municipale, à rejoindre le bataillon des placardisés, des originaux et des mélancoliques, alors qu'aucun de ces qualificatifs ne lui correspondait. Bon, peut-être un peu le dernier, quand même. S'il n'en parlait jamais, et s'il ne se l'était jamais complètement avoué, M. Berger regrettait d'avoir été incapable d'exprimer en bonne et due forme son affection à sa collègue. Peu à peu, il s'était résigné à croire qu'il n'était pas destiné à partager sa vie avec une autre personne. Il était devenu une sorte d'objet figé et les livres qu'il lisait reflétaient l'image qu'il se faisait de lui-même. Il n'était ni un grand amoureux, ni un héros tragique. Il ressemblait plutôt à ces narrateurs de roman qui observent la vie des autres : des patères auxquelles l'écrivain suspend ses intrigues comme des manteaux, en attendant que les vrais acteurs du livre viennent les enfiler. Mais en lecteur passionné et vorace, M. Berger ne s'apercevait pas que la vie qu'il observait était la sienne.

À l'automne 1968, le jour de son trente-sixième anniversaire, le conseil municipal annonça le déménagement de ses bureaux. Jusqu'alors, les différents services étaient disséminés à travers la ville tels des avant-postes ; on trouvait désormais plus logique de les réunir au sein d'un même espace fonctionnel et de vendre les bâtiments annexes. Cette annonce attrista M. Berger. Le service du Logement occupait un ensemble de bureaux délabrés dans une bâtisse en briques rouges qui accueillait jadis une école privée, et il y avait quelque chose d'étrangement agréable dans la façon imparfaite dont le lieu s'était adapté à sa fonction actuelle. Le nouveau quartier général du conseil municipal était un bloc d'architecture brutaliste imaginé par l'un des acolytes de Le Corbusier, dont la vision se résumait à purger toute forme d'expression individuelle et excentrique pour la remplacer par un agencement uniforme d'acier, de verre et de béton armé. Il se dressait à l'emplacement de ce qui avait autrefois été une splendide gare victorienne – elle-même remplacée par une sorte de bunker trapu. À terme, M. Berger le savait, les autres joyaux de la ville seraient à leur tour réduits en poussière et la laideur des nouvelles constructions ne tarderait pas à contaminer l'ensemble de la population. Comment aurait-il pu en être autrement ?

M. Berger fut en outre informé que, sous ce nouveau régime, le Registre des comptes clôturés deviendrait caduc et qu'il serait transféré vers de nouveaux services. Un système plus moderne, plus efficace, allait être mis en place – lequel, comme tant d'autres initiatives, se révélerait plus tard moins efficace et plus coûteux que l'original. Ce changement coïncida avec le décès de la vieille mère de M. Berger – son dernier parent proche – et la découverte de l'héritage modeste mais non négligeable qu'elle léguait à son fils : sa maison, un petit portefeuille d'actions et une somme qui n'était pas exactement une fortune, mais qui pouvait permettre à M. Berger, si elle était investie avec soin, de vivre dans un confort raisonnable jusqu'à la fin de ses jours. Lui qui avait toujours rêvé d'écrire vit là l'occasion idéale de mettre à l'épreuve sa bravoure littéraire.

Et c'est ainsi qu'une collecte fut enfin organisée pour M. Berger, et qu'une poignée de collègues vint lui dire adieu et lui souhaiter bonne chance. Après quoi, tous l'oublièrent promptement.

2

La mère de M. Berger avait passé ses vieux jours dans un cottage aux abords de la petite ville de Glossom. C'était une de ces maisons anglaises raisonnablement coquettes destinées de préférence aux gens dont le séjour sur terre touche à sa fin, qui préfèrent un environnement peu susceptible de les agiter outre mesure et de précipiter l'issue fatale. La communauté était en majorité à tendance anglicane traditionnelle, et proposait des activités liées pour l'essentiel à la paroisse : rares étaient les soirées où l'église n'accueillait pas un spectacle de théâtre amateur, une conférence d'historiens locaux ou une réunion de Fabiens[1] préoccupés mais discrets.

---

1. *Fabian Society* : mouvance de centre gauche réformatrice à l'origine de la fondation du Parti travailliste. *(N.d.T.)*

Malgré cela, la mère de M. Berger était restée plutôt solitaire, et quelques haussements de sourcils parcoururent la population de Glossom quand son fils choisit d'adopter le même mode de vie. Il passait ses journées à rédiger le plan de l'œuvre de fiction qu'il avait en tête : un roman d'amour contrarié doublé d'une critique sociale sous-jacente, situé dans l'univers des filatures de laine du Lancashire au XIXe siècle. Assez vite pourtant, M. Berger se rendit compte que c'était tout à fait le genre d'histoire que les Fabiens auraient justement approuvé, ce qui refroidit quelque peu son enthousiasme. Il caressa ensuite l'idée de se lancer dans des nouvelles, qui se révélèrent tout aussi insatisfaisantes, avant de se rabattre sur l'ultime recours du littérateur éhonté : la poésie. Finalement, ne serait-ce que pour garder la main, il se mit à écrire des lettres aux journaux sur des sujets de portée nationale ou internationale. L'une d'elles, consacrée au

17

problème des blaireaux, fut même publiée dans le *Telegraph*. Mais les nombreuses coupes pratiquées dans le texte faisaient passer M. Berger pour un obsédé des blaireaux, alors que rien n'aurait pu être plus éloigné de la vérité.

L'idée qu'il n'était peut-être pas taillé pour la vie d'écrivain, quelle que soit sa stature, commença à poindre dans l'esprit de M. Berger. Au fond, il faisait peut-être partie de ces gens qui doivent se contenter du plaisir de lire. Une fois parvenu à cette conclusion, il eut l'impression qu'un énorme poids venait de tomber de ses épaules. Il rangea les carnets qu'il avait achetés à grands frais chez Smythson, la célèbre enseigne de Mayfair, et le vide qu'ils laissèrent dans ses poches fut vite comblé par le dernier volume de la saga romanesque d'Anthony Powell, *La Danse de la vie humaine*.

Chaque soir, M. Berger avait pris l'habitude d'aller se promener le long de la voie ferrée. Un sentier oublié, non loin de l'arrière-cour de son cottage, traversait un bois et aboutissait à un talus sur lequel passaient les trains. Jusqu'à une période récente, ils s'arrêtaient quatre fois par jour à Glossom, mais la restructuration du réseau ferroviaire avait entraîné la fermeture de la gare. La ligne était toujours en service – chaque passage de train rappelait bruyamment la disparition de la station – mais, tôt ou tard, au gré du réaménagement des itinéraires, le fracas des wagons disparaîtrait lui aussi. La voie ferrée desservant Glossom serait peu à peu envahie par la végétation et la gare ne tarderait pas à tomber en décrépitude. Certains habitants avaient lancé l'idée de la racheter à la British Railways pour la transformer en musée, mais la vocation exacte d'un tel musée restait obscure, l'histoire de Glossom souffrant de nettes lacunes en terme de batailles, de têtes couronnées ou de grands inventeurs.

Rien de tout cela ne préoccupait M. Berger. Pouvoir se promener dans un endroit agréable et, quand le temps le permettait, s'asseoir près de la voie ferrée pour lire, suffisait à son bonheur. Il y avait un échalier dans la clôture près de la vieille gare et il aimait y grimper pour attendre le passage du dernier train en direction du sud. Il regardait filer en un éclair les hommes d'affaires en costume-cravate et éprouvait un élan de gratitude en songeant que sa vie professionnelle avait, par chance, atteint prématurément son terme.

À présent, l'hiver était tout proche et M. Berger continuait ses promenades ; mais à cause de la lumière déclinante et du froid de plus en plus vif, il ne s'arrêtait plus pour lire. Ce qui ne l'empêchait pas de toujours avoir un volume sur lui, car il passait chaque soir une petite heure à bouquiner au Crapaud Tacheté devant un verre de vin ou une pinte de blonde.

Le soir qui nous intéresse, M. Berger était juché sur son échalier pour attendre l'arrivée du train. Lequel, remarqua-t-il, accusait un léger retard. Depuis quelque temps, le phénomène se reproduisait de plus en plus souvent, et M. Berger se demanda si toute cette rationalisation des procédures allait vraiment entraîner des améliorations. Il alluma sa pipe et regarda vers l'ouest le soleil se coucher derrière le bois, jetant ses derniers rayons comme autant de flammes à travers les branches des arbres dénudés.

À cet instant, il aperçut, un peu plus loin vers la voie ferrée, une femme qui se frayait un chemin parmi les épais fourrés. Il avait déjà remarqué une sorte de chemin à cet endroit – les branches des buissons étaient brisées –, sans comparaison cependant avec le sentier emprunté par M. Berger (qui n'avait du reste aucune envie de s'égratigner la peau ou d'accrocher ses vêtements aux broussailles). La femme était vêtue d'une robe sombre mais ce qui retint son attention fut le petit sac rouge suspendu à son bras. Il contrastait vivement avec le reste de sa tenue. M. Berger tenta d'apercevoir le visage de l'inconnue, mais la direction qu'elle prenait l'en empêcha.

Il entendit alors un sifflet lointain et l'échalier se mit à vibrer. L'express – le dernier train de la soirée – approchait. La lueur de ses phares transperçait les arbres. M. Berger regarda de nouveau sur sa droite : la femme s'était immobilisée ; elle aussi avait entendu le train. Il supposa qu'elle allait attendre son passage, mais elle n'en fit rien. Au contraire : elle pressa le pas. Peut-être espérait-elle franchir la voie ferrée en premier, mais l'entreprise paraissait risquée. Dans des circonstances pareilles, on pouvait facilement se tromper en évaluant les distances, et M. Berger connaissait plus d'une histoire où des imprudents avaient trébuché en courant ou s'étaient coincé le pied sous une traverse. Le train avait abrégé leur existence.

— Eh ! Attendez ! cria M. Berger.

Par réflexe, il sauta du portail et marcha rapidement vers la jeune femme. Au son de sa voix, elle s'était retournée, et même à cette distance, il remarqua la beauté de ses traits. Son visage était pâle, mais elle ne paraissait pas angoissée. Elle dégageait une impression de calme assez irréelle et troublante.

— Ne traversez pas ! Laissez passer le train !

Elle émergea des buissons, releva l'ourlet de sa robe – dévoilant des bottines hautes à lacets et laissant deviner une paire de bas – puis entreprit de gravir le talus. M. Berger se mit à courir tout en continuant à l'appeler, alors même que le grondement s'amplifiait derrière lui jusqu'à ce que l'express file à sa hauteur en une fulgurance de bruit, de lumière et de vapeurs de diesel. Il eut juste le temps de voir la femme jeter son sac rouge, rentrer la tête dans les épaules, tendre les bras en avant et se jeter à genoux sur les rails.

M. Berger tressaillit. L'angle de la voie masquait le lieu de la collision, et si elle avait crié, le son se perdit dans le fracas de la machine. Quand il rouvrit les yeux, la femme avait disparu et le train poursuivait sa route.

M. Berger courut jusqu'à l'endroit où il avait vu la femme pour la dernière fois. Il se prépara au pire – un amas sanglant de membres déchiquetés sur la voie – mais il n'y avait rien. N'ayant jamais été témoin d'un accident de ce genre, il ignorait si un train qui percute quelqu'un à pleine vitesse aurait laissé derrière lui beaucoup de dégâts. Il était possible que la puissance du choc ait propulsé en tous sens des fragments de la femme, ou que la motrice ait expédié son squelette fracassé un peu plus loin sur les rails. Après avoir fouillé les broussailles à la hauteur du point d'impact, M. Berger longea assez longtemps la voie ferrée mais n'aperçut aucune traînée sanglante et pas la moindre trace d'un corps. Il ne retrouva pas non plus le sac rouge jeté par la femme. Pourtant, il l'avait bien vue, il n'avait aucun doute à ce sujet. Il n'avait pas rêvé.

Il se trouvait à présent plus près de la ville que de chez lui. Il n'y avait pas de poste de police à Glossom, le plus proche se trouvait à Moreham, à environ huit kilomètres. M. Berger se rendit d'un pas vif à la cabine téléphonique de la vieille gare et appela l'agent de garde pour lui raconter la scène dont il avait été témoin. Puis, comme on le lui avait ordonné, il alla s'asseoir sur le banc devant la gare pour attendre l'arrivée de la voiture de patrouille.

3

Les policiers procédèrent aux mêmes vérifications que M. Berger, mais avec plus d'hommes et avec un coût bien plus important en termes de rendement horaire et d'heures supplémentaires. Ils passèrent au peigne fin les fourrés et les abords de la voie ferrée, et enquêtèrent à Glossom pour voir si une femme de la communauté avait disparu. Le conducteur de la locomotive fut contacté et son train immobilisé pendant une heure en gare de Plymouth, le temps d'inspecter les wagons et la motrice à la recherche d'éventuels restes humains.

Enfin, M. Berger, qui était resté assis sur son échalier pendant tout ce temps, dut subir un second interrogatoire mené par l'inspecteur de Moreham, un dénommé Carswell. Cette fois, l'attitude du policier envers M. Berger se révéla nettement plus froide. Une fine bruine s'était mise à tomber peu après le début des recherches et Carswell, comme ses hommes, était trempé et fatigué. M. Berger était trempé lui aussi et il s'aperçut qu'il était pris d'un frisson léger, mais permanent. Sûrement le choc, songea-t-il. Il n'avait jamais vu mourir quelqu'un auparavant. Il en était profondément affecté.

L'inspecteur Carswell se tenait devant lui, chapeau fiché sur le crâne, les mains profondément enfoncées dans les poches de son manteau. Ses hommes remballaient leur matériel et ramenaient dans leur van les deux chiens qui avaient participé à la battue. Les habitants de Glossom, venus en curieux, commençaient aussi à s'égailler, non sans jeter un dernier coup d'œil intrigué à M. Berger.

— Reprenons, vous voulez bien ? commença Carswell, et M. Berger lui raconta de nouveau son histoire.

Les détails restaient les mêmes. Il était certain de ce qu'il avait vu. Quand il eut terminé, l'inspecteur lui annonça :

— Vous savez, le conducteur du train n'a rien vu et n'a ressenti aucun impact. Comme vous pouvez l'imaginer, il était plutôt traumatisé quand on lui a appris qu'un témoin avait vu une femme se jeter sous ses roues. Il s'est joint à mes hommes pour inspecter le convoi. Il se trouve que le malheureux a déjà vécu une expérience comparable. Avant d'être promu conducteur, il était pompier à bord d'un train qui, un jour, a percuté un pauvre gars près de Coleford Junction. À ce qu'il dit, il n'en restait plus que de la bouillie. Impossible de se tromper sur ce qui venait de se passer. D'après lui, s'il avait écrasé cette femme sans s'en apercevoir, nous aurions forcément retrouvé des traces de l'accident.

Carswell alluma une cigarette. Il en proposa une à M. Berger, qui déclina l'offre. Il préférait sa pipe, même si elle s'était éteinte depuis un moment.

— Vous vivez seul, monsieur ? demanda l'inspecteur.

— Oui.

— Si j'ai bien compris, vous vous êtes installé à Glossom il y a peu de temps ?

— En effet. Ma mère est morte, et j'ai hérité de son cottage.

— Et vous dites que vous êtes écrivain ?

— J'essaie. Pour être franc, je commence à me demander si j'ai le moindre talent.

— Une activité solitaire, hein, l'écriture ? Enfin, j'imagine.

— Plutôt, oui.

— Vous n'êtes pas marié ?

— Non.

— Une petite amie ?

— Non, répondit-il, avant d'ajouter : pas pour le moment.

Il n'avait pas envie que l'inspecteur ait l'impression que sa vie de célibataire cachait quelque chose de douteux ou de louche.

— Ah.

Carswell tira longuement sur sa cigarette.

— Elle vous manque ?

— Qui donc ?

— Votre mère.

M. Berger trouvait la question incongrue, mais il y répondit tout de même.

— Bien sûr. Je venais la voir aussi souvent que possible et on se parlait au téléphone une fois par semaine.

Carswell hocha la tête, comme si cette information en disait long.

— Ça doit être bizarre, de débarquer dans une nouvelle ville pour venir vivre dans la maison où votre mère est décédée. Elle est bien morte chez elle, n'est-ce pas ?

M. Berger se fit la réflexion que l'inspecteur Carswell semblait très bien renseigné sur sa mère.

— C'est exact. Pardonnez-moi, inspecteur, mais quel est le rapport avec la mort de cette jeune femme ?

Carswell retira la cigarette de sa bouche et en examina l'extrémité incandescente, comme si la réponse se trouvait quelque part dans les cendres.

— Je commence à me demander si vous ne vous êtes pas trompé sur ce que vous avez vu.

— Moi, me tromper ? Comment peut-on se tromper quand on a assisté à un suicide ?

— On n'a pas trouvé de corps, monsieur. Pas de sang, pas de vêtements, rien. Pas même ce sac rouge que vous avez mentionné.

Bref, aucune trace d'un quelconque incident fâcheux sur cette voie ferrée. Alors…

Carswell tira une dernière bouffée de sa cigarette puis la jeta et l'écrasa par terre d'un coup de talon nerveux.

— … on va dire que vous vous êtes trompé et on va en rester là, d'accord ? Je vous suggère de trouver d'autres façons d'occuper vos soirées, maintenant que nous sommes en hiver. Inscrivez-vous au club de bridge, initiez-vous au chant choral… Qui sait ? Vous pourriez même rencontrer une charmante dame pour vous accompagner dans vos promenades. Après tout, vous sortez à peine d'une période traumatisante, ça vous ferait sûrement du bien de ne pas passer trop de temps tout seul. Comme ça, vous ne commettrez plus ce genre d'erreur. Je me fais bien comprendre, monsieur ?

Le sous-entendu était évident. Se tromper n'était pas un crime ; faire perdre son temps à la police, si. M. Berger descendit de son échelle.

— Je sais ce que j'ai vu, inspecteur.

Il ne trouva rien de mieux à dire pour empêcher le doute de percer dans sa voix, et c'est l'esprit embrumé qu'il reprit le chemin de son petit cottage.

4

Vous ne serez pas surpris si je vous dis que, cette nuit-là, M. Berger eut du mal à fermer l'œil. Il se repassait en boucle la scène du suicide de la jeune femme. Même s'il n'avait ni vu ni entendu ce qui s'était passé au moment du choc, dans le silence de sa chambre, il voyait et il entendait tout. En rentrant, il avait avalé un grand verre du brandy de feu sa mère pour se calmer, mais il n'était pas habitué à l'alcool et les effets n'avaient pas tardé à se faire sentir. Dans son lit, en proie au délire, il pensait tant à la mort de la femme qu'il commença à croire que ce n'était pas la première fois qu'il était témoin de cette scène. Un sentiment déroutant de déjà-vu le gagnait, et il était incapable de s'en défaire. Parfois, quand il était malade ou avait de la fièvre, une mélodie ou une chanson venait s'incruster dans son esprit, elle s'y accrochait si vigoureusement qu'elle empêchait M. Berger de trouver le sommeil et qu'il ne pouvait l'exorciser qu'une fois guéri. Avec la vision de la mort de cette femme, il vivait une expérience similaire. Cette impression de répétition le convainquit que la scène lui avait été familière bien avant d'y avoir assisté en chair et en os.

Enfin, l'épuisement le submergea et il put prendre un peu de repos. Mais lorsqu'il se réveilla au matin, cette sensation lancinante de familiarité le poursuivit. Il enfila son manteau et retourna sur les lieux où s'était déroulé l'accident qui l'avait tant ébranlé. Il marcha le long du sentier herbeux à la recherche d'un indice que les policiers auraient pu manquer, d'un signe prouvant qu'il n'était pas victime de son imagination débordante – un lambeau de tissu noir, le talon d'une bottine, le sac rouge. En vain.

C'était ce sac qui le titillait le plus. Tout partait de là. Maintenant que les vapeurs de l'alcool s'étaient dissipées dans son cerveau – même si sa tête bourdonnait encore imperceptiblement –, il avait la certitude que le suicide de la jeune femme lui rappelait une scène de roman. Et pas seulement *une* scène : peut-être *la* scène de suicide ferroviaire la plus célèbre de toute la littérature. Renonçant à poursuivre ses recherches physiques, il se lança dans une exploration plus littéraire.

Il avait vidé ses cartons de livres depuis longtemps mais l'amour de sa mère pour la lecture n'égalant pas le sien, il n'avait pas assez d'étagères pour les accueillir tous. Les murs de la maison n'offraient pour l'essentiel qu'une vaste étendue vierge, ornée çà et là de médiocres reproductions de marines. Cela dit, M. Berger avait nettement plus d'espace pour stocker ses volumes que dans son précédent logis. Le cottage avait une surface au sol plus grande que son ancien appartement, et tout ce dont un vrai bibliophile a besoin pour ranger ses livres est une surface horizontale. Il extirpa son exemplaire d'*Anna Karénine* d'une pile sur le parquet de la salle à manger, pris en sandwich entre *Guerre et Paix* et *Maître et Serviteur*, ce dernier volume publié dans la belle édition d'Everyman's Library de 1946 qu'il avait presque oubliée et qui, pour un peu, lui aurait donné envie de mettre de côté *Karénine* pour passer une heure en sa compagnie. Mais le bon sens l'emporta. M. Berger prit tout de même la peine de poser *Maître et Serviteur* sur la table pour l'examiner à un moment plus opportun. Il rejoignait ainsi une dizaine d'autres ouvrages élus qui attendaient depuis plusieurs jours voire plusieurs semaines.

M. Berger s'installa dans son fauteuil et ouvrit *Anna Karénine* (Limited Editions Club,

Cambridge, 1951). Il avait déniché cet exemplaire ayant appartenu au peintre Barnett Freedman dans un vide-grenier, pour une somme si modique qu'il avait, un peu plus tard, fait un don à une organisation caritative pour soulager sa conscience. Il le feuilleta jusqu'au chapitre 31, qui s'ouvrait par les mots : « *Un coup de cloche retentit...* » Il débuta sa lecture rapidement mais avec minutie, montant avec Anna dans le wagon où l'avait accompagnée Pierre, son valet en livrée et guêtres, passant du conducteur impertinent à la femme d'une épouvantable laideur puis au petit *moujik*[1] sale, jusqu'à arriver enfin au passage qui l'intéressait :

« *Son petit sac rouge, qu'elle eut quelque peine à détacher de son bras, lui fit manquer*

---

1. Le terme « moujik » désigne un paysan russe d'origine modeste d'avant la Révolution. *(N.d.E.)*

le moment de se jeter sous le premier wagon :
force lui fut d'attendre le second. Un sentiment semblable à celui qu'elle éprouvait jadis
avant de faire un plongeon dans la rivière
s'empara d'elle, et elle fit le signe de la croix.
Ce geste familier réveilla dans son âme une
foule de souvenirs d'enfance et de jeunesse ;
les minutes heureuses de sa vie scintillèrent
un instant à travers les ténèbres qui l'enve-
loppaient. Cependant elle ne quittait pas des
yeux le wagon, et lorsque le milieu entre les
deux roues apparut, elle rejeta son sac, rentra
sa tête dans les épaules et, les mains en avant,
se jeta sur les genoux sous le wagon, comme
prête à se relever. Elle eut le temps d'avoir
peur. "Où suis-je ? Que fais-je ? Pourquoi ?"
pensa-t-elle, faisant effort pour se rejeter en
arrière. Mais une masse énorme, inflexible,
la frappa sur la tête, et l'entraîna par le dos.
"Seigneur, pardonnez-moi !" murmura-t-elle,
sentant l'inutilité de la lutte.

Un petit homme, marmottant dans sa barbe, tapotait le fer au-dessus d'elle. Et la lumière qui pour l'infortunée avait éclairé le livre de la vie, avec ses tourments, ses trahisons et ses douleurs, brilla soudain d'un plus vif éclat, illumina les pages demeurées jusqu'alors dans l'ombre, puis crépita, vacilla et s'éteignit pour toujours[1]. »

M. Berger relut le passage deux fois, puis se cala dans son fauteuil et ferma les yeux. C'était là, en toutes lettres, jusqu'au détail du petit sac rouge, ce sac que la femme près de la voie ferrée avait jeté avant d'être percutée par l'express, tout comme Anna avant de se suicider. Les derniers gestes de la femme avaient également reproduit à l'identique ceux de l'héroïne de Tolstoï : tête rentrée dans les épaules, bras tendus, comme si la mort à venir

---

1. *Anna Karénine*, Léon Tolstoï, Folio Classique, 1994, traduction d'Henri Mongault.

devait prendre la forme non pas d'une méca-
nique d'acier montée sur roues, mais d'une
crucifixion. D'ailleurs, M. Berger avait utilisé
les mêmes mots que ceux du roman quand il
s'était remémoré l'incident.

— Mon Dieu, l'inspecteur a sûrement raison ! annonça-t-il à son auditoire de livres. J'ai
passé trop de temps seul avec mes romans. Il
n'y a pas d'autre explication possible, pour
que je sois persuadé d'avoir assisté à la scène
paroxystique d'*Anna Karénine* sur la ligne
Exeter-Plymouth…

Il posa l'ouvrage sur le bras du fauteuil et se
rendit dans la cuisine. L'envie de se resservir
un verre de brandy le traversa mais, le résultat
de leur précédent tête-à-tête ayant été fort peu
concluant, il opta pour la théière habituelle.
Quand elle fut remplie, il s'assit à la table et
but tasse après tasse jusqu'à ce qu'il n'en reste
plus une goutte. Pour une fois, il ne prit pas
de livre ou n'essaya pas de se détendre avec

les mots croisés du *Times*, encore intacts à cette heure avancée du matin. Il se laissa aller à regarder les nuages, à écouter le chant des oiseaux, et se demanda s'il n'était pas, au fond, en train de sombrer doucement dans la folie.

Ce jour-là, M. Berger ne lut pas d'autre livre. L'examen répété du chapitre 31 d'*Anna Karénine* resta son seul contact avec le monde de la littérature. Il ne se rappelait pas avoir jamais passé une journée en ayant aussi peu lu. Les livres étaient sa vie. Depuis qu'enfant, il avait découvert qu'il pouvait finir un roman tout seul sans avoir besoin que sa mère lui fasse la lecture, ils avaient occupé chaque instant de son temps libre. Il se souvint de sa découverte hésitante des aventures de Biggles, l'aviateur inventé par William Earl Johns, et de ses difficultés à lire les mots plus longs, qu'il divisait en syllabes afin de transformer un seul mot compliqué en deux mots plus faciles à comprendre. Depuis, les livres avaient été ses compagnons quotidiens. Certes, il avait sans doute sacrifié des amitiés bien réelles à ces simulacres : certains jours, il avait évité ses camarades après l'école ou n'avait pas répondu quand ils venaient frapper à sa porte en l'absence de ses parents. Faire un détour pour rentrer chez lui ou se tenir éloigné des fenêtres lui assurait qu'aucun match de foot ou exploration champêtre n'allait l'empêcher de terminer l'histoire qui le captivait.

D'une certaine façon, les livres étaient aussi responsables de sa timidité fatale envers la fille de la comptabilité. Elle semblait peu portée sur la lecture. Il l'avait parfois vue avec une romance historique de Georgette Heyer ou un roman de gare, mais il avait le sentiment que c'était loin d'être une passion pour elle. Elle insistait souvent pour qu'il l'emmène au théâtre, au ballet ou dans les magasins car elle avait envie qu'ils « fassent quelque chose ensemble ». Après tout, c'était bien ainsi que se comportaient les couples, n'est-ce pas ? Mais la lecture était une entreprise solitaire. On pouvait toujours lire dans la même pièce que l'autre, ou assis côte à côte dans le lit, le soir venu, mais cela impliquait une sorte d'accord tacite, une affinité d'esprit entre les deux membres du couple. Ç'aurait été désastreux pour M. Berger de se retrouver coincé avec le genre de personne qui lit deux pages d'un roman puis, pour attirer l'attention, commence à fredonner, à tapoter des doigts, voire – Dieu l'en préserve ! – à triturer le bouton de fréquences de la radio. Sans prévenir, elle se mettrait ensuite à « faire des remarques » sur son texte, et c'en serait à jamais fini des lectures paisibles…

Pourtant, assis seul dans la cuisine de sa défunte mère, M. Berger s'aperçut qu'il n'avait jamais vraiment pris la peine de demander à la fille de la comptabilité si elle aimait les livres ou les ballets. Tout au fond de lui, il avait été réticent à l'idée de bouleverser son existence bien rangée, dans laquelle il avait rarement à se prononcer sur des sujets plus difficiles que le choix de sa prochaine lecture. Il avait toujours vécu à distance du monde qui l'entourait, et il en payait maintenant le prix : la folie le gagnait.

5

Dans les jours qui suivirent, M. Berger se plongea surtout dans des journaux et des magazines d'une portée édifiante. Il s'était presque convaincu que la scène à laquelle il avait assisté sur la voie ferrée, empruntée par les locomotives du London and South Western Railway, relevait d'une anomalie psychologique, comme une réaction différée au chagrin qu'il avait éprouvé à la mort de sa mère. Il remarqua que, chaque fois qu'il sortait en ville, il s'attirait des regards surpris, mal dissimulés ou franchement sans gêne, mais il fallait s'y attendre. Il espérait que le souvenir des recherches infructueuses de la police finirait par s'effacer de l'esprit des habitants. Il n'avait pas pour ambition de jouer le rôle du fou du village.

Mais, au fil des jours, un phénomène étrange se produisit. D'ordinaire, quand on vit des expériences comme celle de M. Berger, le souvenir qu'on en garde se dissipe à mesure que l'événement en question s'éloigne dans le temps. Conformément à cette règle comportementale, M. Berger aurait dû être de plus en plus persuadé que sa rencontre avec la jeune femme qui lui rappelait Anna Karénine était le fruit d'un trouble psychologique. Or, il était de plus en plus persuadé du contraire : il avait bien vu cette femme, elle était tout à fait réelle – du moins dans une acception assez large de la notion de réalité.

Il retourna vers les livres, timidement au début, puis avec une passion renouvelée. Il retourna aussi sur le sentier qui longeait la voie ferrée, et recommença à regarder passer les trains assis sur son échalier. Chaque soir, à l'approche de l'Exeter-Plymouth, il posait son roman et scrutait le chemin vers le talus, au sud. Il faisait plus sombre et le chemin était à peine visible mais les yeux de M. Berger étaient encore perçants et, avec l'habitude, il parvenait à distinguer des variations dans la densité des fourrés.

Mais le chemin resta désert jusqu'au mois de février, quand la femme réapparut.

6

Il faisait froid ce soir-là mais l'air était vivifiant, sans aucune trace d'humidité, et M. Berger s'amusait du petit nuage formé par sa respiration pendant sa promenade vespérale. Un groupe de folk revivaliste devait donner un concert au Crapaud Tacheté et M. Berger, qui appréciait ce genre de musique, avait prévu d'y rester une heure ou deux après avoir regardé passer le train. Jouer les sentinelles près de l'échalier était devenu un rituel pour lui. Même s'il se répétait que cela n'avait plus aucun rapport avec la femme au sac rouge, il savait en secret qu'il n'en était rien. Cette vision le hantait.

Il s'installa sur le portail et alluma sa pipe. Quelque part en direction de l'est, il entendit le train à l'approche. L'express était en avance. C'était du jamais vu. Si M. Berger avait encore été d'humeur à écrire des lettres, il aurait bien pu se fendre d'une missive adressée au *Telegraph* pour relater cet événement, à la façon de ces ornithologues annonçant à la population le premier coucou du printemps.

Il rédigeait déjà ce billet dans sa tête quand un autre bruit sur sa droite attira son attention. Quelqu'un descendait le chemin d'un pas pressé. M. Berger sauta de son perchoir et se mit à avancer en direction de l'agitation. Le ciel était dégagé, la lune couvrait le sous-bois de sa lueur argentée mais, même sans son aide, M. Berger aurait reconnu la femme qui se précipitait vers le train, un sac rouge suspendu à son bras.

Il en laissa tomber sa pipe, mais parvint à la récupérer. C'était une bonne pipe, tout de même.

S'il n'est pas inexact de dire que cette inconnue était devenue l'obsession de M. Berger, celui-ci ne s'était pas vraiment attendu à la revoir un jour. Après tout, les gens qui se jettent sous les trains en font rarement une habitude. C'est le genre de geste que l'on accomplit une seule fois ou pas du tout. Dans le premier cas de figure, toute répétition de l'incident est rendue impossible par l'action de la puissante machine, et si, par miracle, le sujet y survit, le souvenir de la douleur éprouvée lors de la première tentative doit suffire à décourager toute récidive. Et pourtant, sans l'ombre d'un doute, M. Berger reconnaissait bien la jeune femme qu'il avait vue la première fois, cette femme au sac rouge qui courait à sa propre perte.

C'est sûrement un fantôme, pensa-t-il. Il n'y avait pas d'autre explication possible. Il devait s'agir de l'esprit d'une malheureuse morte à cet endroit il y a bien longtemps – il voyait bien que ses vêtements n'étaient pas de ce siècle – et condamnée à répéter ses derniers gestes encore et encore jusqu'à ce que…

Jusqu'à ce que quoi ? M. Berger ne savait pas trop. Il avait lu son lot de romans de M.R. James et de W.W. Jacobs, d'Oliver Onions et de William Hope Hodgson, mais n'était jamais tombé sur une histoire comparable. Il savait vaguement qu'exhumer un cadavre oublié pour l'enterrer dans un endroit plus approprié pouvait parfois se révéler utile, même si James préconisait de rapporter d'anciens artefacts à leur emplacement originel afin de calmer les esprits qui y étaient associés. Mais M. Berger ne savait absolument pas où la jeune femme devrait être inhumée et, durant ses promenades, il n'avait pas cueilli la moindre fleur et encore moins ramassé de vieux sifflet ou de manuscrit. Il se dit qu'il valait mieux reporter ces questions à plus tard. Une affaire bien plus urgente l'appelait.

De toute évidence, l'avance du train avait pris de court la femme – fantomatique ou non – et les branches semblaient comploter pour empêcher son rendez-vous avec la mort. Elles s'agrippaient à sa robe et, à un moment, elle trébucha et tomba à genoux. Malgré tous ces obstacles, M. Berger était bien conscient qu'elle pouvait encore arriver à temps sur les rails pour prendre le train de plein fouet.

Il se mit à courir et à agiter les bras en poussant des cris, des hurlements. Jamais de sa vie il n'avait couru aussi vite, de sorte qu'il parvint à l'orée du chemin bien avant la femme. Surprise, elle s'arrêta dès qu'elle le vit. Sa volonté farouche d'en finir l'avait sans doute empêchée d'entendre ses appels, mais elle se trouvait désormais confrontée à la réalité physique de M. Berger, tout comme M. Berger à celle de l'inconnue. Elle était plus jeune que lui et sa peau avait une pâleur inha-bituelle, peut-être accentuée par le clair de lune. Sa chevelure était du noir le plus profond qu'il eût jamais vu. On aurait dit qu'il absorbait la lumière.

Pour tenter d'esquiver M. Berger, la femme s'élança sur sa droite, puis sur sa gauche, mais les buissons étaient trop denses. Il sentit le sol vibrer sous ses pieds. Le fracas du train devenait assourdissant et le sifflet de la locomotive le transperça soudain – le conducteur avait sans doute aperçu M. Berger au bord de la voie. Ce dernier leva la main droite et l'agita comme pour dire que tout allait bien. Il était fermement décidé à ne pas laisser passer la désespérée et lui-même n'avait pas l'intention de se jeter sur les rails.

De rage, la femme crispa les poings tandis que l'express passait devant elle. M. Berger tourna la tête et vit des passagers lui lancer un regard curieux depuis les fenêtres. Lorsqu'il se retourna, elle avait disparu. C'est seulement quand le vacarme du train s'éloigna qu'il entendit du bruit dans les broussailles : elle avait fait demi-tour et gravissait la colline. Il essaya de la suivre, se heurtant aux branches qui, un peu plus tôt, avaient également ralenti l'inconnue. Il sentit sa veste se déchirer, laissa tomber sa pipe et se fit même une légère entorse à la cheville en heurtant une racine, mais il ne renonça pas. Quand il atteignit la route, il eut juste le temps de voir la femme s'engouffrer dans une ruelle parallèle à la rue principale de Glossom. Elle était bordée d'un côté par les jardins en enfilade des cottages et, de l'autre, par la façade arrière de l'ancienne brasserie de la ville. Le bâtiment désaffecté tombait en ruines, mais un parfum ténu de vieux houblon flottait encore dans l'air.

La ruelle se terminait en fourche. À gauche, la grand-rue ; à droite, une zone plongée dans l'obscurité. La grand-rue était bien éclairée et M. Berger ne vit aucun signe de la femme. Il décida donc de prendre à droite. Bientôt, il se retrouva parmi les vestiges du passé industriel de Glossom : de vieux entrepôts, dont certains encore utilisés mais la plupart à l'abandon ; un mur annonçant la présence d'une tonnellerie et d'une fabrique de bougies, mais l'état du bâtiment laissait deviner qu'un certain temps s'était écoulé depuis que le dernier tonneau ou la dernière bougie en étaient sortis ; enfin, un édifice en briques rouges aux fenêtres barricadées sur deux étages et au perron envahi par les mauvaises herbes. Au-delà, l'allée se terminait en cul-de-sac. En approchant, M. Berger aurait pu jurer qu'il avait entendu une porte se refermer doucement.

Arrivé devant le bâtiment, il leva les yeux sur la façade. Aucune lumière. Les fenêtres du rez-de-chaussée étaient tellement incrustées de crasse, dehors comme dedans, qu'il était impossible de distinguer quoi que ce soit à l'intérieur. Au-dessus de la porte, une inscription était gravée dans la brique. La lune ayant apparemment décidé de le priver de son aide, M. Berger dut plisser les yeux pour déchiffrer ces quelques mots : « BIBLIOTHÈQUE PRIVÉE CAXTON/PRÊT & DÉPÔT DE LIVRES. »

Il fronça les sourcils. Lorsqu'il s'était installé à Glossom, il s'était renseigné pour savoir où se trouvait la bibliothèque municipale et on lui avait répondu qu'il n'y en avait pas. La plus proche – comme tout ce dont Glossom était dépourvu, d'ailleurs – se trouvait à Moreham. Il y avait bien un kiosque à journaux qui proposait quelques livres, mais c'était surtout des romans policiers ou sentimentaux et il y avait une limite à ce que M. Berger avait envie de lire dans l'une ou l'autre de ces catégories. Bien sûr, il était fort probable que la Bibliothèque privée Caxton ne soit plus en activité depuis longtemps mais, si tel était le cas, pourquoi l'herbe poussant sur le perron était-elle piétinée ? Quelqu'un devait encore y entrer et en sortir quotidiennement, y compris – si M. Berger ne se trompait pas – une femme ou une entité fantasmagorique d'apparence féminine qui faisait une fixation sur Anna Karénine.

Il tira de sa poche une boîte d'allumettes et en gratta une. À droite de la porte, sous un carreau vitré, une plaque jaunie indiquait : « Pour tout renseignement, sonnez. » M. Berger utilisa trois allumettes pour essayer de trouver la sonnette : il n'y en avait pas. Pas plus qu'il n'y avait de boîte aux lettres ou de fente dans la porte pour le courrier.

M. Berger contourna le bâtiment par la droite car le mur de l'impasse bloquait le passage sur la gauche. Il y trouva une allée plus étroite, mais elle aussi s'achevait en cul-de-sac et il n'y avait pas de fenêtre ou de porte de ce côté-là. Derrière le mur s'étendait un terrain vague.

M. Berger retourna sur le perron. Il frappa du poing à la porte dans l'espoir (plus que dans l'attente) d'une réponse. Le silence qui suivit ne le surprit pas. Il inspecta l'unique serrure : elle ne paraissait pas rouillée. Il inséra le doigt dans le trou pour l'en ressortir légèrement huileux. Tout cela était étrange, pour ne pas dire inquiétant.

Il n'y avait plus rien à faire pour le moment, se dit M. Berger. La soirée commençait à être glaciale et il n'avait pas encore dîné. Glossom avait beau être une ville calme et sûre, il ne se voyait pas traîner devant l'entrée d'une bibliothèque obscure en espérant y croiser une femme spectrale à laquelle il pourrait demander pourquoi diable elle se jetait régulièrement sous les trains. En outre, ses mains étaient couvertes d'éraflures assez profondes qui auraient bien besoin d'un peu d'antiseptique.

Ainsi, après avoir jeté un dernier regard à la bibliothèque Caxton, M. Berger rentra chez lui plus troublé que jamais, et le Crapaud Tacheté fut privé ce soir-là de son client habituel.

7

M. Berger retourna à la bibliothèque le lendemain dès 10 heures, un horaire qui lui semblait raisonnable. Si elle était encore en activité, il avait toutes les chances d'y trouver quelqu'un à cette heure. Mais elle l'accueillit avec le même silence austère que la veille au soir.

N'ayant rien de mieux à faire, M. Berger commença à mener sa petite enquête. En vain. Le vendeur de journaux, l'épicier du coin et même les premiers clients du Crapaud Tacheté affichèrent, pour seule réponse à ses questions sur la Bibliothèque privée Caxton, le même air interdit. Certes, les gens connaissaient son existence, mais personne ne semblait se souvenir de l'époque où il était possible d'y emprunter des livres. Personne non plus ne savait à qui appartenait le bâtiment ni s'il abritait encore le moindre volume. On suggéra à M. Berger d'aller se renseigner à l'hôtel de ville de Moreham où étaient conservées les archives de toutes les petites localités de la région.

M. Berger prit donc sa voiture et se rendit à Moreham. En route, il se fit la réflexion que les habitants de Glossom avaient manifesté un remarquable manque d'intérêt pour la bibliothèque Caxton. Ceux qu'il avait interrogés l'avaient complètement oubliée jusqu'à ce qu'il leur en parle, et la mention du bâtiment avait réveillé en eux un souvenir fugace qui s'était évanoui presque aussitôt – mais cela pouvait se comprendre si la bibliothèque était fermée depuis plusieurs années. Ce qui l'intriguait, en revanche, c'est que la plupart des autres personnes n'avaient jamais soupçonné son existence et se fichaient pas mal d'en savoir plus. Glossom était une communauté très unie, M. Berger ne le savait que trop : au cours de ses interrogatoires, il avait eu droit à diverses allusions sur des hallucinations et des trains en retard. Il semblait n'y avoir que deux types d'affaires à Glossom : celles qui concernaient tout le monde, et celles qui n'attendaient qu'une chose, que le bouche à oreille fasse son œuvre. Les habitants les plus âgés étaient capables de retracer en détail l'histoire de la ville jusqu'au XVIe siècle et de se rappeler des anecdotes sur tous ses édifices, vieux ou récents. Tous, sauf la bibliothèque Caxton.

Les archives de l'hôtel de ville de Moreham allaient se révéler aussi peu concluantes. Le bâtiment de la bibliothèque appartenait à la Fondation Caxton, dont l'adresse était une boîte postale à Londres. La fondation payait l'intégralité des factures, notamment la taxe foncière et l'électricité. Et c'est à peu près tout ce que put découvrir M. Berger. Les questions qu'il posa à la bibliothécaire de Moreham ne lui valurent qu'une série de regards vides et les heures qu'il passa à dépouiller tous les numéros du *Moreham & Glossom Advertiser*, l'hebdomadaire local, depuis le début du siècle, ne lui permirent pas de trouver la moindre référence à la bibliothèque Caxton.

La nuit tombait quand il regagna son cottage. Il se prépara une omelette puis essaya de lire, mais il était perturbé par l'existence et la non-existence simultanées de la bibliothèque. Elle était là. Elle occupait une parcelle de terrain à Glossom. C'était une bâtisse immense. Alors comment avait-elle pu passer inaperçue pendant si longtemps dans une si petite communauté ?

Le lendemain, ses recherches ne progressèrent pas davantage. Les coups de fil aux librairies et aux bibliothèques, y compris à la prestigieuse London Library et à la Cranston

Library de Reigate, la plus ancienne bibliothèque de prêt du pays, confirmèrent que
personne ne savait rien sur la Caxton. En dernier recours, M. Berger put converser avec la
responsable britannique de l'Association des
Bibliothèques Spécialisées, un organisme dont
il n'avait jusqu'alors jamais entendu parler.
Elle lui promit qu'elle chercherait dans les
archives de l'association mais reconnut qu'elle
ignorait tout de la bibliothèque Caxton. Du
reste, ajouta-t-elle, elle aurait été surprise que
quiconque ait la moindre information à son
sujet, tant son expertise en la matière était
encyclopédique (opinion que M. Berger,
après avoir eu droit à une heure interminable
d'anecdotes sur les bibliothèques d'Angleterre,
se serait bien gardé de mettre en doute).

Il envisagea la possibilité de s'être trompé
sur l'endroit où s'était réfugiée la femme. Il
y avait, dans ce secteur de la ville, d'autres
bâtisses où elle aurait pu entrer pour lui

échapper, mais la bibliothèque Caxton restait tout de même la meilleure cachette pour elle. Quoi de plus approprié en effet qu'une vieille bibliothèque pour une femme qui se plaît à rejouer à l'infini les derniers moments de la vie d'Anna Karénine ?

Ce soir-là, M. Berger prit sa décision avant d'aller au lit : il s'improviserait détective privé et resterait en embuscade devant le bâtiment aussi longtemps qu'il lui faudrait pour en percer les secrets.

8

Comme M. Berger le découvrit très vite, être un détective en planque n'était pas une mince affaire. Dans les romans, les types s'en tiraient très bien : assis dans leur voiture ou dans un restaurant, ils pouvaient prendre des notes sur ce qui les entourait avec assez de confort, surtout s'ils étaient à Los Angeles ou sous un autre climat chaud et ensoleillé. Il en allait bien autrement quand il s'agissait de rester à l'affût dans les bâtiments décrépits d'une petite ville anglaise par un jour de février froid et humide. Il priait pour ne croiser personne de sa connaissance, ou pire, un sale curieux qui n'aurait pas hésité à appeler la police pour dénoncer un rôdeur. M. Berger imaginait déjà l'inspecteur Carswell, une cigarette entre les lèvres, déclarant qu'il avait bel et bien mis la main sur un cinglé.

Par chance, M. Berger trouva une cachette dans une vieille fabrique de tonneaux et de bougies. Par une portion effondrée d'un mur, il avait une vue dégagée sur l'extrémité de l'allée, tout en restant bien abrité. Il avait apporté une couverture, un coussin, une flasque de thé, quelques sandwichs, du chocolat et deux romans : *Le Naufragé du Titanic* de John Dickson Carr, histoire de se mettre dans l'ambiance, et *L'Ami mutuel* de Charles Dickens, le seul livre de cet auteur qu'il n'avait pas encore lu. *Le Naufragé du Titanic* se révéla assez bon, quoique un peu fantastique. En même temps, se raisonna M. Berger, quand on est témoin de la double tentative de suicide d'une femme – la première réussie, la seconde inachevée –, on n'a aucune raison de se laisser décontenancer par une histoire de sorcellerie et d'automate.

La journée s'écoula sans incident notable. Aucun mouvement dans l'allée, si ce n'est le passage occasionnel d'un rat. M. Berger termina le roman de Dickson Carr et commença le Dickens. C'était son dernier roman achevé, une œuvre de la maturité donc, plutôt ardue en comparaison d'*Oliver Twist* et des *Papiers posthumes du Pickwick Club*, et qui requérait toute la patience et toute l'attention du lecteur. Quand la lumière fut trop faible, M. Berger posa le livre – utiliser une lampe torche aurait été trop risqué – et attendit encore une heure dans l'espoir que quelque chose se passe dans la bibliothèque à la nuit tombante. Mais aucune lumière n'apparut aux fenêtres du vieux bâtiment et M. Berger décida de mettre un terme à sa planque. Il redescendit au Crapaud Tacheté pour se requinquer avec un repas chaud et un verre de vin.

Sa surveillance reprit dès le lendemain. Cette fois, il avait emporté un P.G. Wodehouse pour alterner avec le Dickens. À nouveau, la journée s'écoula sans excitation particulière, hormis l'apparition d'un petit terrier. L'animal se mit à japper en apercevant M. Berger, qui tenta en vain de le repousser, puis son maître le siffla sèchement et le terrier disparut. Il faisait un peu plus doux que la veille, ce qui était toujours bon à prendre : M. Berger s'était réveillé tout ankylosé et avait pris la décision d'enfiler deux pardessus si la météo ne s'arrangeait pas.

L'obscurité commençait à tomber, et avec elle M. Berger se mit à douter de la sagesse de ses actes. Il ne pouvait pas traîner indéfiniment aux abords de cette allée. C'était inconvenant. Il s'adossa dans un recoin et se laissa aller à somnoler. Il rêva de la façade éclairée de la bibliothèque, d'un train qui s'engouffrait dans l'allée, transportant des dames à chevelure noire munies de petits sacs rouge et bien résolues à mettre fin à leurs jours. Il rêva aussi de bruits de pas sur des graviers, de l'herbe. À son réveil, toutefois, les pas étaient encore audibles. Quelqu'un arrivait. D'un mouvement prudent, M. Berger se redressa et jeta un coup d'œil vers la bibliothèque. Sur le perron, un homme avec une sorte de sac de voyage était en train de faire cliqueter des clés.

Aussitôt, M. Berger bondit hors du trou dans le mur et atterrit dans l'allée. L'homme, plutôt âgé, avait déjà introduit la clé dans la serrure. Plus petit que la moyenne, portant un long pardessus gris et un chapeau mou orné d'une plume blanche, il arborait une remarquable moustache argentée taillée en guidon de vélo. L'air inquiet, il dévisagea M. Berger avant d'ouvrir précipitamment la porte.

— Attendez ! s'exclama M. Berger. Il faut que je vous parle !

L'élégant vieillard n'était manifestement pas d'humeur à bavarder. La porte était à présent grande ouverte et il était déjà à l'intérieur, quand il s'aperçut qu'il avait laissé son sac de voyage par terre. Il se pencha pour l'attraper mais M. Berger arriva au même instant et un bras de fer inattendu commença entre les deux hommes, chacun tirant le sac par une bandoulière.

— Rendez-moi ça ! dit le vieil homme.

— Non ! répondit M. Berger. Je veux vous parler.

— Prenez d'abord rendez-vous ! Par téléphone !

— Il n'y a pas de numéro ! Vous n'êtes pas dans l'annuaire !

— Alors envoyez une lettre.

— Vous n'avez pas de boîte…

— Écoutez, revenez demain et sonnez à la porte.

— Mais il n'y a pas de sonnette ! cria
M. Berger.

Sous l'effet de la frustration, sa voix grimpa
d'une octave. D'un dernier coup sec, il rem-
porta le duel. L'homme se retrouva avec la
poignée dans la main.

— Oh, la barbe !

D'un air mélancolique, il regarda le sac que
M. Berger serrait contre sa poitrine.

— Bon, je suppose que vous feriez mieux
d'entrer. Mais pas longtemps. Je suis très
occupé.

Il recula et fit signe à M. Berger de le suivre.
Curieusement, maintenant qu'une occasion
se présentait enfin à lui, ce dernier éprouvait
une pointe d'inquiétude. L'intérieur de la
bibliothèque Caxton paraissait bien obscur,
qui sait ce qui pouvait l'y attendre ? Peut-
être se jetait-il dans la gueule du loup avec,
pour seule arme, le sac de voyage qu'il gardait en otage ? Mais son enquête l'avait mené

trop loin : il avait besoin d'une réponse, peu importe laquelle, pour retrouver sa sérénité. Toujours cramponné au sac comme s'il s'agissait d'un nourrisson emmailloté, M. Berger pénétra dans la bibliothèque.

9

Les lumières s'allumèrent. Elles étaient faibles et conféraient au décor une teinte jaunâtre, mais elles révélaient des kilomètres de rayonnages qui se perdaient au loin. L'air était chargé de cette odeur de moisi si particulière, caractéristique des lieux où les livres se bonifient comme des grands crus. À gauche de M. Berger se trouvait un comptoir en chêne, derrière lequel s'alignaient des casiers remplis de paperasses qui, à en juger par la fine couche de poussière dont elles étaient recouvertes, n'avaient pas été touchées depuis plusieurs années. Passé le comptoir, M. Berger remarqua une porte ouverte sur un petit salon équipé d'une télévision, donnant lui-même sur une autre pièce où l'on devinait le rebord d'un lit.

Le vieux monsieur retira son chapeau, son pardessus et son écharpe qu'il accrocha à une patère près de la porte. Il portait un costume foncé d'un autre âge, une chemise blanche et une cravate grise très large avec des rayures blanches. Le tout dénotait une sorte de coquetterie légèrement fanée. Comme il attendait patiemment que M. Berger commence, ce dernier s'exécuta :

— Écoutez, je refuse de gober ça. Pas question.

— Gober quoi ?

— Cette histoire de femme qui se jette sous un train puis qui réapparaît et recommence. Je ne marche pas. C'est bien clair ?

L'élégant vieillard fronça les sourcils. Il tritura la pointe de sa moustache et lâcha un profond soupir.

— Vous pouvez me rendre mon sac, s'il vous plaît ?

M. Berger lui tendit le sac de voyage. L'homme passa de l'autre côté du comptoir et alla le déposer dans le salon avant de revenir. Entre-temps, M. Berger, comme tous les bibliophiles, avait commencé à examiner le contenu des rayonnages. Les étagères étaient organisées par ordre alphabétique et le hasard avait conduit M. Berger à la lettre D. Il tomba sur une collection incomplète de l'œuvre de Dickens, apparemment limitée à ses œuvres les plus célèbres. *L'Ami mutuel* brillait par son absence, contrairement à *Oliver Twist, David Copperfield, Un conte de deux villes, Les Papiers posthumes du Pickwick Club* et quelques autres. Toutes les éditions paraissaient très anciennes. M. Berger sortit *Oliver Twist* et l'examina attentivement : reliure en toile brune à lettrage doré, marque de l'éditeur sur le dos. La page-titre attribuait l'œuvre à Boz et non à Charles Dickens, ce qui indiquait l'ancienneté du volume, confirmée par

les détails de la publication : Richard Bentley, Londres, 1838. M. Berger tenait entre les
mains l'édition originale du roman – et son
premier tirage.

— Faites attention, je vous prie, intervint
le vieil homme, qui tournait nerveusement
autour de l'intrus.

Mais M. Berger avait déjà remis *Oliver
Twist* à sa place et s'intéressait maintenant
au *Conte de deux villes,* peut-être son roman
préféré de Dickens. Reliure originale en toile
rouge, Chapman & Hall, 1859. Encore une
édition originale.

La plus grande surprise restait à venir,
dans le volume intitulé *Papiers posthumes du
Pickwick Club.* Sa taille était inhabituellement
grande et il contenait non pas un ouvrage
publié, mais un manuscrit. M. Berger savait
que la plupart des manuscrits de Dickens
constituaient la clé de voûte de la Forster Collection du Victoria & Albert Museum, car il

avait pu les admirer lors d'une exposition. La New York Public Library possédait aussi des fragments des *Papiers posthumes du Pickwick Club* mais, à la connaissance de M. Berger, il n'existait nulle part de version complète du manuscrit.

Sauf, apparemment, dans la Bibliothèque privée Caxton de Glossom, Angleterre.

— Est-ce que c'est… Je veux dire, est-il possible que ce soit…

Le vieil homme retira doucement le volume des mains de M. Berger et le remit à sa place sur l'étagère.

— Tout à fait, répondit-il.

Il posa sur M. Berger un regard un peu plus curieux, comme si l'intérêt manifeste de son visiteur pour les livres l'incitait à revoir son jugement sur sa personne.

— Il est plutôt en bonne compagnie, ajouta-t-il.

Il désigna les rayonnages d'un geste ample. Les étagères s'enfonçaient dans la pénombre ; les lumières pâles n'atteignaient pas les coins les plus reculés de la bibliothèque. Il y avait également des portes sur la gauche et sur la droite, encastrées dans les murs principaux. M. Berger ne les avait pourtant pas remarquées la première fois qu'il avait examiné le bâtiment de l'extérieur. Peut-être avaient-elles été condamnées, mais il ne se souvenait pas non plus de ce détail.

— Tous vos livres sont des éditions originales ? demanda-t-il.

— Des éditions originales ou des copies manuscrites. Les premières correspondent parfaitement à notre mission. Les secondes sont juste des bonus.

— Si vous n'y voyez pas d'inconvénient, j'aimerais beaucoup regarder ça de plus près. Je ne toucherai plus à rien, je voudrais juste regarder ce que vous avez.

— Plus tard, peut-être, répondit le gentleman. Mais vous ne m'avez toujours pas dit ce qui vous amène ici.

M. Berger avala sa salive. Il n'avait plus parlé de ses rencontres depuis sa funeste conversation avec l'inspecteur Carswell, le premier soir.

— Eh bien... J'ai été témoin du suicide d'une femme qui s'est jetée sous un train et, quelque temps après, je l'ai vue essayer de se suicider à nouveau, mais j'ai réussi à l'en empêcher. J'ai cru qu'elle était venue se réfugier ici. Pour parler franchement, j'en suis presque certain.

— Voilà qui n'est pas habituel, concéda le vieux monsieur.

— C'est ce que je me suis dit.

— Et quelle serait l'identité de cette femme ? Vous avez une idée ?

— Pas exactement.

— Une hypothèse, peut-être ?

— Ça risque de vous sembler bizarre.

— Sans aucun doute.

— Vous allez penser que je suis fou.

— Mon cher ami, nous venons à peine de nous rencontrer. Je ne me permettrais pas d'émettre un tel jugement avant que nous ayons vraiment fait connaissance.

Ce qui était tout à fait légitime, songea M. Berger. Il en avait déjà beaucoup dit : autant aller jusqu'au bout.

— J'ai eu l'intuition qu'il pouvait s'agir d'Anna Karénine.

Puis, assurant ses arrières *in extremis* :

— Ou alors d'un fantôme. Mais je dois dire qu'elle m'a paru remarquablement réelle pour un esprit.

— Ce n'était pas un fantôme, répondit le vieillard.

— Non, je ne l'ai jamais vraiment cru. Elle était vraiment trop… solide. Maintenant, vous allez aussi me dire que ce n'est pas non plus Anna Karénine, n'est-ce pas ?

Le gentleman tira de nouveau sur sa moustache. Son visage trahissait un vif débat intérieur.

Enfin, il lâcha :

— Non. En toute conscience, je ne peux pas nier qu'il s'agisse bien d'Anna Karénine.

M. Berger se pencha vers lui et, baissant nettement la voix :

— C'est une folle ? Je veux dire… une femme qui se prend pour Anna Karénine ?

— Non. C'est vous qui la prenez pour Anna Karénine. Elle, elle *sait* qu'elle est Anna Karénine.

La réponse stupéfia M. Berger.

— Quoi ? Vous prétendez que c'est la véritable Anna Karénine ? Mais c'est un personnage d'un roman de Tolstoï ! Elle n'est pas réelle.

— Vous venez juste de me dire le contraire.

— Non. Je vous ai dit que la femme que j'avais vue me *paraissait* réelle.

— Et vous avez pensé qu'il s'agissait peut-être d'Anna Karénine.

— Certes. Mais, voyez-vous, on peut se le dire à soi-même ou l'évoquer comme une possibilité, tout en espérant qu'une explication plus rationnelle finira par se dessiner.

— Mais il n'y a pas d'explication plus rationnelle, si ?

— Si, cela se pourrait… C'est juste que rien ne me vient à l'esprit pour l'instant.

M. Berger commençait à se sentir pris de vertiges.

— Voulez-vous une tasse de thé ? proposa le vieil homme.

— Oui. Je pense que j'en ai besoin.

10

Assis dans le salon du vieil homme, ils buvaient leur thé dans des tasses en porcelaine tout en dégustant un cake aux fruits servi dans un moule à gâteau. Un feu dansait dans la cheminée et une lampe à huile se consumait dans un coin. Aux murs de la pièce étaient accrochées des peintures et des aquarelles très belles et très anciennes. Le style de certaines était familier à M. Berger. Il n'en aurait pas mis sa tête à couper mais il était presque sûr d'avoir reconnu, dans le lot, au moins un Turner, un Constable et deux Romney – un portrait et un paysage.

Le vieil homme s'était présenté. Il s'appelait M. Gedeon et exerçait la profession de bibliothécaire de la Caxton depuis plus de quarante ans. Son métier, expliqua-t-il à M. Berger, consistait « à préserver et à enrichir la collection, à restaurer les volumes qui en ont besoin et, bien sûr, à prendre soin des personnages ».

Sur la fin de la phrase, M. Berger avala son thé de travers.

— Des personnages ?

— Des personnages, confirma M. Gedeon.

— Quels personnages ?

— Les personnages des romans.

— Vous voulez dire qu'ils sont *vivants* ?

M. Berger commençait à se poser des questions non seulement sur sa propre santé mentale mais aussi sur celle de M. Gedeon. Il avait l'impression de déambuler dans un cauchemar de bibliophile. Bientôt, espérait-il, il se réveillerait chez lui avec un bon mal de crâne pour découvrir qu'il avait inhalé les vapeurs de colle de ses propres ouvrages.

— Vous en avez vu un de vos propres yeux ! répondit M. Gedeon.

— Eh bien… J'ai seulement vu quelqu'un. Vous savez, j'ai déjà croisé des types déguisés en Napoléon à des fêtes et je ne suis pas rentré chez moi en me disant que j'avais vu le vrai Napoléon.

— Napoléon ? Il n'est pas chez nous.

— Non ?

— Non. Nous n'avons que les personnages fictifs. Encore qu'avec Shakespeare, ce soit parfois un peu compliqué. Ça nous a déjà causé quelques soucis, d'ailleurs. Nos règles ne sont pas gravées dans le marbre. Si c'était le cas, cette petite entreprise tournerait sans aucun problème. Mais, que voulez-vous, la littérature n'a que faire des règles, n'est-ce pas ? Comme ce serait ennuyeux s'il y en avait…

M. Berger plongea le nez dans sa tasse de thé, comme si la disposition des feuilles allait lui révéler quelque chose. Comme elles restaient indéchiffrables, il reposa la tasse, croisa les mains et se résigna à écouter ce qui allait venir.

— Très bien, dit-il. Parlez-moi des personnages...

Le point de départ, expliqua M. Gedeon, c'était le public. Arrivait un moment où certains personnages étaient devenus tellement familiers aux lecteurs – et même à ceux qui ne lisaient pas – que leur existence devenait indépendante de leur vie sur la page.

— Prenez Oliver Twist, par exemple. Il y a plus de gens qui le connaissent que de gens qui ont lu le livre auquel il a donné son nom. Même chose pour Roméo et Juliette, Robinson Crusoé ou Don Quichotte. Mentionnez leur nom à un homme ou à une femme ayant reçu une éducation basique et, qu'ils aient ou non lu le moindre mot provenant des textes en question, ils seront capables de vous dire que

Roméo et Juliette étaient des amants maudits, que Robinson Crusoé est resté bloqué sur une île et que Don Quichotte a eu maille à partir avec des moulins à vent. De la même façon, ils sauront que Macbeth était un homme un peu trop présomptueux, qu'Ebenezer Scrooge n'était pas un mauvais bougre, finalement, et que d'Artagnan, Athos, Porthos et Aramis étaient des mousquetaires. Certes, le nombre de personnages qui atteignent ce degré de popularité reste limité. Ils arrivent ici tout naturellement. Mais vous seriez surpris de voir combien de personnes peuvent vous parler de Tristram Shandy, de Tom Jones ou de Jay Gatsby. Pour être tout à fait honnête, j'ignore à quel moment se produit ce basculement. Tout ce que je sais c'est qu'à cet instant, tel ou tel personnage devenu suffisamment célèbre pour exister dans la vraie vie va se matérialiser dans la Bibliothèque privée Caxton, ou bien dans les parages. Cela s'est toujours passé ainsi, et ce depuis que M. Caxton a fondé le premier dépôt de livres en 1492. L'histoire raconte que l'idée lui est venue lorsque quelques-uns des pèlerins de Chaucer ont frappé à sa porte en 1477.

— Seulement quelques-uns ? Pas tous ?

— Personne ne se rappelle la liste de tous les pèlerins des *Contes de Canterbury*. Caxton a ouvert sa porte au Régisseur, au Meunier, au Chevalier, à la Bourgeoise de Bath et à la Deuxième Nonne. Une fois convaincu qu'il ne s'agissait ni de comédiens ni de fous, il a compris qu'il devait trouver un endroit où les loger. Il ne voulait pas être accusé de sorcellerie ou de je ne sais quelle baliverne, et il avait des ennemis. Là où sont les livres, il y aura toujours autant de gens pour les détester que pour les aimer. Caxton a donc trouvé une maison à la campagne pour héberger ces pèlerins, et le bâtiment a aussi servi de bibliothèque pour une partie de sa collection. Il a même trouvé un moyen de la financer après sa mort, et ce moyen est encore en vigueur de nos jours. Pour résumer : la Fondation prélève une part sur ce que devraient dépenser les éditeurs et une part sur ce qu'ils devraient encaisser.

— Je ne suis pas sûr de bien comprendre…

— C'est simple, vous allez voir. Le mécanisme repose sur le demi-penny ou les fractions de centimes, de livres ou de toute autre devise. Si un écrivain doit toucher, disons, 9 livres, 10 shillings et 6,5 pence de royalties, le demi-penny n'est pas comptabilisé et nous est reversé. De la même façon, si une société doit à un éditeur 17 livres, 8 shillings et 7,5 pence, on arrondit à 8 pence. Et ça fonctionne à tous les échelons de l'industrie, jusqu'au moindre ouvrage vendu par un particulier. Parfois, il s'agit seulement de sommes infimes mais, récoltées dans le monde entier et additionnées les unes aux autres, elles suffisent largement à financer la Fondation, à entretenir la bibliothèque et à subvenir aux besoins des personnages qui y vivent. Aujourd'hui, cela fait tellement partie de l'économie du livre que personne ne le remarque plus.

M. Berger était troublé. En tant que préposé au Registre des comptes clôturés, il n'aurait pas perdu de temps à ces chicaneries comptables. Mais il fallait bien reconnaître que ça tenait la route.

— Et de quelle Fondation parlez-vous, au juste ?

— Oh, c'est juste un nom qu'on utilise par commodité. Ça fait des années qu'il n'y a plus de véritable Fondation, en tout cas pas de Fondation supervisée par un comité directeur. On peut dire que la Fondation, c'est ici. C'est moi. Quand je passerai la main, le prochain bibliothécaire sera à son tour la Fondation. Ça ne demande pas beaucoup de travail. Tout juste si je dois signer un chèque, de temps en temps…

Si la question des mécanismes de financement de la bibliothèque était tout à fait fascinante, M. Berger s'avouait plus intéressé par celle des personnages.

— Pour en revenir aux personnages, ils vivent ici ?

— Absolument. Comme je vous l'ai expliqué, ils n'apparaissent à la porte de la bibliothèque qu'à un moment précis. Certains, à l'évidence, semblent un peu perdus mais, en quelques jours, ils comprennent les tenants et aboutissants de la situation et peuvent commencer à s'installer. À chacune de leur arrivée correspond celle d'une édition originale de l'œuvre dont ils proviennent, enveloppée et ficelée dans du papier kraft. On la range sur son étagère et on en prend soin. C'est l'histoire de leur vie, il faut la préserver. Elle est inscrite dans chacune de ses pages.

— Et les personnages de séries romanesques, qu'est-ce qu'ils deviennent ? Sherlock

Holmes, par exemple ? J'imagine qu'il vit ici…

— Bien sûr. Pour ne pas le dépayser, on lui a attribué l'appartement porte 221B. Le Dr Watson habite juste à côté. Dans leur cas, je crois que la bibliothèque a reçu l'intégrale de leurs œuvres canoniques en édition originale.

— C'est-à-dire uniquement la série signée Conan Doyle ?

— Oui. On ne s'occupe pas de ce qui a été publié après la mort de Conan Doyle, en 1930. Il en va de même pour tous les autres personnages récurrents. Pour nous – et pour eux –, une fois disparu le créateur originel, leur histoire s'arrête. Les livres d'autres auteurs reprenant ces personnages ne sont pas pris en compte, sans quoi ce serait ingérable. Inutile de préciser que ces personnages ne viennent pas nous voir tant que leur créateur n'est pas mort. En attendant, ils sont toujours susceptibles d'évoluer.

— Tout cela me semble extrêmement difficile à assimiler, reconnut M. Berger.

M. Gedeon se pencha et tapota le bras de M. Berger d'un geste consolateur.

— Mon cher ami, rassurez-vous, vous n'êtes pas le seul dans ce cas ! J'ai éprouvé exactement cette sensation la première fois que je suis entré ici.

— Comment êtes-vous arrivé à la Caxton ?

— J'ai rencontré Hamlet à l'arrêt du bus 48B. Le pauvre vieux... Il était là depuis un bon bout de temps. Il avait laissé passer au moins huit bus. Il fallait s'y attendre, je suppose : c'est dans sa nature.

— Qu'est-ce que vous avez fait ?

— J'ai essayé de discuter avec lui. Compte tenu de sa tendance à monologuer, mieux vaut s'armer de patience. À vous en parler, comme ça, j'ai bien conscience que cela semble absurde : j'aurais dû appeler la police et expliquer qu'une personne dérangée se prenant pour Hamlet était coincée à l'arrêt du 48B. Mais, voyez-vous, j'ai toujours adoré Shakespeare et j'étais fasciné par cet homme assis sous l'abribus. Quand il a terminé sa tirade, j'étais convaincu. Je l'ai ramené ici pour le confier aux bons soins du bibliothécaire de l'époque. Le vieux Headley, mon prédécesseur. Ensuite, j'ai bu un thé avec lui, comme nous faisons en ce moment même, et c'est ainsi que tout a commencé. Quand il a pris sa retraite, je l'ai remplacé. C'est aussi simple que ça.

Pour M. Berger, ça n'était pas simple du tout. Cette histoire atteignait même un degré de complexité cosmique.

— Est-ce que je pourrais…

Il s'interrompit aussitôt. L'énormité de ce qu'il s'apprêtait à demander le paralysait. Il hésita.

— … les voir ? compléta M. Gedeon. Mais je vous en prie ! Prenez votre manteau, tout de même : je trouve qu'il fait parfois un peu frisquet, là-bas.

M. Berger obtempéra. Il enfila son manteau et suivit M. Gedeon le long des rayonnages, sans cesser de parcourir des yeux les titres des volumes. Il aurait voulu les toucher, s'en saisir, les caresser comme des chats, mais il parvint à contrôler ses pulsions. Après tout, si M. Gedeon avait dit vrai, sa prochaine rencontre avec le monde des livres s'annonçait encore plus extraordinaire.

11

En fin de compte, l'expérience se révéla légèrement plus fastidieuse que M. Berger aurait pu l'imaginer. Chaque personnage avait à sa disposition plusieurs pièces assez petites mais propres, aménagées en fonction de leur époque et de leur tempérament. M. Gedeon expliqua que les espaces de vie n'étaient pas organisés par auteurs ou par périodes histo-riques, de sorte qu'on ne trouvait pas d'ailes réservées aux personnages de Dickens ou de Shakespeare.

— On a essayé, au début, mais ça ne mar-chait pas. Pire, ça provoquait des problèmes terribles et, parfois, des disputes violentes. En général, les personnages ont un assez bon instinct pour ces affaires-là et j'ai toujours eu tendance à les laisser choisir eux-mêmes leur propre espace.

Ils passèrent devant l'appartement 221B où Sherlock Holmes se tenait prostré sous l'effet de la drogue, tandis que dans une suite voisine, Tom Jones faisait des choses innommables avec Fanny Hill. Ils croisèrent un Heathcliff ruminant de noires pensées, un Fagin au cou marqué par la brûlure de la corde, mais la plupart des autres personnages se contentaient de faire la sieste, comme les animaux d'un zoo.

— C'est leur activité principale, commenta M. Gedeon. J'en ai vu certains dormir pendant des années, voire des décennies. Ils n'ont pas faim au sens où nous l'entendons, mais ils aiment bien manger de temps en temps pour rompre la monotonie. La force de l'habitude, j'imagine. On essaie juste de leur interdire le vin. Ça les met d'humeur bagarreuse.

— Est-ce qu'ils sont conscients d'être des personnages imaginaires ?

— Oh, oui. Certains le prennent mieux que d'autres, mais ils apprennent à accepter le fait que leur vie a été écrite par quelqu'un d'autre et que leurs souvenirs sont le fruit d'une invention littéraire. Même si, comme je vous l'ai déjà dit, c'est un peu plus délicat avec les personnages historiques.

— Je croyais que seuls les personnages de fiction arrivent jusqu'à vous ?

— C'est le cas, en règle générale, mais il est vrai que certains personnages historiques sont plus réels à nos yeux sous leur forme fictionnelle. Prenez Richard III : le public le perçoit surtout comme le produit de la pièce de Shakespeare et de la propagande des Tudor. Donc, en un sens, ce Richard III est un personnage de fiction. Notre Richard III sait qu'il n'est pas vraiment *le* Richard III, mais *un* Richard III. D'un autre côté, du point de vue du public, c'est bien lui *le* Richard III, et il est plus réel dans l'esprit des gens que tout autre produit d'un révisionnisme ultérieur. Mais ça, c'est l'exception qui confirme la règle. Très rares sont les personnages historiques capables d'assurer cette transition. Ce qui n'est pas plus mal, soit dit entre nous. Sinon cet endroit serait plein à craquer.

M. Berger avait eu envie d'aborder la question de l'espace : le moment semblait bien choisi.

— J'ai remarqué que ce bâtiment paraît beaucoup plus grand à l'intérieur que de l'extérieur.

— Ah, c'est amusant, répondit M. Gedeon. L'apparence extérieure de la bibliothèque n'a pas beaucoup d'importance : tout se passe comme si, en nous rejoignant, les personnages apportaient avec eux leur propre espace. Je me suis souvent interrogé à ce sujet, et je crois que j'ai trouvé une sorte d'explication.

Ce phénomène est la conséquence naturelle de la capacité d'une librairie ou d'une bibliothèque à contenir des mondes entiers, des univers, sous la couverture de chaque livre. Dès lors, on peut dire que chaque librairie, chaque bibliothèque occupe un espace pratiquement infini. La bibliothèque Caxton pousse cette logique à l'extrême.

Ils passèrent devant deux pièces décorées dans un style à la fois chargé et macabre. Dans l'une d'elles, un homme au visage couleur de cendre lisait un ouvrage, caressant les pages de ses mains aux ongles inhabituellement longs. En se tournant vers les visiteurs, il étira des lèvres qui révélèrent une paire de canines saillantes.

— Le Comte, annonça M. Gedeon d'un air préoccupé. Si j'étais vous, je ne m'attarderais pas.

— Vous voulez dire… Le comte de Bram Stoker ?

M. Berger en resta bouche bée. Les yeux du Comte étaient cernés de rouge et il dégageait un magnétisme incontestable. M. Berger sentit ses pieds irrésistiblement attirés vers la pièce où le Comte avait posé son livre et se préparait à l'accueillir.

M. Gedeon l'agrippa par le bras et le ramena de force dans le couloir.

— Je vous ai dit d'avancer ! Mieux vaut ne pas passer trop de temps en compagnie du Comte. C'est un être imprévisible. Il prétend avoir tiré un trait sur ces absurdes histoires de vampirisme, mais je lui accorde une confiance inversement proportionnelle à la longueur de ses dents.

— Il ne peut pas sortir, n'est-ce pas ? s'inquiéta M. Berger, qui commençait déjà à reconsidérer sa passion pour les promenades du soir.

— Non. Il fait partie des cas spéciaux. Ceux dont on range les livres derrière des barreaux, ce qui semble avoir pour effet de verrouiller aussi les appartements de leurs personnages.

— À l'inverse, d'autres peuvent se promener à l'extérieur. Vous avez rencontré Hamlet, j'ai croisé Anna Karénine.

— En effet. Mais ça reste vraiment exceptionnel. La majorité de nos personnages vivent dans une espèce de stase. Je les soupçonne de fermer les yeux pour revivre tous les épisodes de leur existence littéraire, encore et encore. Ce qui ne nous empêche pas d'organiser des tournois de bridge d'un niveau très honorable, et le spectacle de Noël est toujours fort divertissant.

— Comment font-ils pour sortir, ceux qu'on retrouve en train d'errer dehors ?

M. Gedeon haussa les épaules.

— Je l'ignore. Je m'assure que la bibliothèque est toujours bien fermée, et je m'absente rarement. Je viens juste de partir quelques jours à Bootle pour aller rendre visite à mon frère malade mais, depuis que j'exerce le métier de bibliothécaire, c'est-à-dire depuis bien des années, je n'ai pas dû prendre au total plus d'un mois de congés. Pour quoi faire ? J'ai des livres à lire et des personnages à qui parler. J'ai une quantité infinie de mondes à explorer à l'intérieur de ces murs.

Enfin, ils s'arrêtèrent devant une porte close, à laquelle M. Gedeon frappa timidement.

— *Oui*[1] *?* répondit une voix féminine.

— *Madame, vous avez un visiteur.*

— *Bien. Faites-le entrer, je vous prie.*

M. Gedeon ouvrit la porte et M. Berger se trouva face à la femme qu'il avait vue se jeter sous les roues du train, cette femme dont il avait par la suite sauvé la vie – en quelque sorte. Elle était vêtue d'une robe noire toute

---

1. En français dans le texte.

simple, peut-être celle qui avait captivé Kitty dans le roman. Ses cheveux bouclés étaient lâchés et un collier de perles soulignait son port altier. Aussitôt, elle parut surprise de le voir et il comprit qu'elle se souvenait de son visage.

Le français de M. Berger était assez rouillé mais il parvint à extirper quelques phrases de sa mémoire.

— *Madame, mon nom est Berger. Je suis enchanté de faire votre connaissance.*

Anna marqua une brève pause.

— *Je vous en prie, tout le plaisir est pour moi, monsieur Berger. Asseyez-vous, s'il vous plaît.*

Il prit un siège et une conversation très courtoise s'ensuivit. Il expliqua, en pesant chaque mot, qu'il avait été témoin de sa première « rencontre » avec le train et que cette scène l'avait hanté. La nouvelle sembla bouleverser Anna, qui se répandit en excuses pour lui avoir causé tant de soucis. D'un geste de la main, il lui fit comprendre que ce n'était rien et qu'il s'était davantage inquiété pour elle que pour lui. Naturellement, lorsqu'il avait assisté à sa nouvelle tentative – encore que « tentative » ne soit pas le bon mot dès lors que son geste, la fois précédente, avait été couronné de succès –, il s'était senti obligé d'intervenir.

Passé les premières hésitations, la discussion adopta un rythme plus naturel. À un moment, M. Gedeon fit son apparition avec du thé et du cake, mais ils le remarquèrent à peine. M. Berger constatait avec plaisir que son français lui revenait facilement mais Anna, à force d'avoir passé autant de temps aux abords de la bibliothèque, se débrouillait très bien en anglais. Leur conversation se prolongea tard dans la soirée, jusqu'à ce que M. Berger remarque l'heure et s'excuse d'avoir retenu si longtemps la jeune femme. Elle lui assura qu'elle avait apprécié sa compagnie et que, de toute façon, elle dormait très peu. Il baisa sa main, la pria de le laisser revenir le lendemain et elle y consentit de bon cœur.

M. Berger retrouva son chemin dans la bibliothèque sans trop de problème, sauf quand Fagin essaya de lui soutirer son portefeuille – un geste dont le vieux réprouvé se disculpa en le mettant sur le compte de l'habitude, rien de plus. Arrivé dans les quartiers de M. Gedeon, M. Berger trouva le bibliothécaire assoupi dans son fauteuil. Il le réveilla doucement et M. Gedeon le raccompagna jusqu'à la porte.

— Si ça ne vous dérange pas, lui demanda M. Berger sur le perron, j'aimerais beaucoup revenir demain pour discuter avec vous et avec madame Karénine. Mais je ne veux surtout pas vous donner l'impression de m'imposer…

— Vous ne me donnez pas du tout cette impression. Frappez à l'entrée. Je serai là.

Une fois la porte refermée, M. Berger, empli d'une confusion et d'une exaltation qu'il n'avait jusqu'alors jamais éprouvées, s'enfonça dans l'obscurité et regagna son cottage où l'attendait un profond sommeil sans rêve.

12

Le lendemain matin, après avoir fait sa toilette et pris son petit déjeuner, M. Berger retourna à la bibliothèque Caxton. Il apportait à M. Gedeon des viennoiseries tout juste sorties du four du boulanger pour garnir son garde-manger ainsi qu'un recueil de poésies russes traduites en anglais, pour lequel il avait une affection toute particulière, mais qu'il désirait offrir à Anna. Une fois certain que personne ne l'observait, il prit la ruelle menant à la bibliothèque et frappa au carreau de la porte. Un bref instant, il craignit que M. Gedeon n'ait passé la nuit à vider le lieu de son contenu – livres, personnages et ainsi de suite – de peur que M. Berger ne révèle la véritable fonction de la bibliothèque

Caxton, ce qui n'aurait pas manqué de causer des problèmes. Mais le vieil homme ouvrit la porte dès le premier coup et parut ravi de le voir revenir.

— Puis-je vous proposer une tasse de thé ?

M. Berger accepta, même s'il avait déjà petit-déjeuné et malgré son impatience de revoir Anna. Quelques questions le taraudaient au sujet de la jeune femme. Il s'en ouvrit à M. Gedeon.

— Pourquoi se comporte-t-elle ainsi ? lui demanda-t-il tandis que le bibliothécaire partageait un scone aux pommes.

— C'est-à-dire ? Ah, oui ! Pourquoi elle se jette sous les trains ?

Il préleva une miette tombée sur son gilet et la posa sur son assiette.

— Pour commencer, je précise que ce n'est pas son comportement habituel. Elle vit ici depuis de nombreuses années et, en tout, elle n'a pas dû le faire plus d'une dizaine de fois. Certes, ces incidents ont eu tendance à se répéter dernièrement et j'en ai parlé avec elle pour trouver un moyen de l'aider, essayer de comprendre d'où lui vient cette pulsion de revivre ses derniers instants dans le livre. Mais elle-même semble l'ignorer. Parmi nos résidents, d'autres personnages ont pour habitude de revivre leur destin – c'est l'obsession d'à peu près tous ceux de Thomas Hardy – mais elle est la seule à rejouer la scène de sa disparition. Si je peux partager avec vous mes réflexions sur cette énigme, je dirais ceci : en tant que rôle-titre du roman, sa vie tragique et son destin terrible sont peut-être gravés d'une façon plus profonde, plus retentissante dans la mémoire du lecteur et dans la sienne. À cause de la qualité de l'écriture. À cause du livre. Les livres ont ce pouvoir. Vous devez l'avoir compris, à présent. C'est pour cette raison que l'on garde toutes ces éditions originales avec autant de soin. Ces volumes renferment le destin de tous ces grands personnages, et par conséquent ceux-ci y sont très fortement liés.

Il changea de position sur sa chaise, plissa les lèvres.

— Je vais vous raconter quelque chose, M. Berger. Quelque chose dont je n'ai jamais parlé à personne. Voilà bien des années de cela, nous avons eu une fuite dans le toit. Pas une grosse fuite, mais cela ne change rien, n'est-ce pas ? Un petit filet d'eau qui s'écoule goutte à goutte peut faire beaucoup de dégâts. Ce n'est qu'en rentrant du cinéma de Moreham que j'ai vu le résultat. Avant de partir, j'avais mis de côté nos manuscrits d'*Alice au pays des merveilles* et de *Moby Dick*.

— De *Moby Dick* ? Je ne savais pas qu'il en existait encore des manuscrits…

— Celui-là est particulier, je l'avoue. C'est un mélange un peu confus entre l'édition originale américaine et l'édition originale anglaise. La version américaine publiée par Harper & Brothers a été établie d'après le manuscrit, alors que la version anglaise publiée par Bentley provient des épreuves du tirage américain. Or, on compte pas moins de six cents différences de formulation entre les deux éditions. Mais, en 1851, tandis que Melville travaillait sur l'édition anglaise d'après les épreuves qu'il avait payées de sa poche avant qu'un éditeur américain lui fasse signer un contrat, il continuait d'écrire certaines sections de la fin du roman et en profitait pour en réécrire d'autres, déjà mises en page pour Harper. Et maintenant dites-moi : quelle version devrait figurer dans l'inventaire de la bibliothèque Caxton ? L'américaine, d'après le manuscrit original, ou l'anglaise, fondée non pas sur le manuscrit mais sur sa réécriture ultérieure ? La Fondation a décidé d'acquérir l'édition anglaise et, pour faire bonne mesure, le manuscrit. Quand le capitaine Achab a frappé à notre porte, il apportait avec lui les deux éditions.

— Et le manuscrit d'*Alice au pays des merveilles* ? Je le croyais conservé au British Museum ?

— Il y a eu, en quelque sorte, un petit tour de passe-passe... Vous vous rappelez peut-être que le révérend Dodgson a offert le manuscrit original de quatre-vingt-dix pages à Alice Liddell. Elle a été contrainte de le mettre en vente pour payer les droits de succession de son mari, mort en 1928. La maison Sotheby's s'en est chargée, avec un prix de réserve de 4 000 livres. Naturellement, un Américain a déboursé près de quatre fois cette somme pour emporter l'enchère. C'est à ce moment que la Fondation est intervenue : une copie du manuscrit a été substituée à l'original et envoyée aux États-Unis.

— Celui qui se trouve aujourd'hui au British Museum serait donc un faux ?

— Pas un faux. Une copie réalisée ultérieurement par Dodgson lui-même, à la demande de la Fondation. À cette époque, celle-ci savait anticiper. Je me suis efforcé de maintenir cette tradition. J'exerce une veille permanente pour m'assurer qu'aucun livre ou aucun personnage ne risque de nous échapper… La Fondation tenait absolument à récupérer l'original d'*Alice* signé de la main de Dodgson. Il contient tellement de personnages mythiques… Et toutes ces illustrations ! C'est un manuscrit extrêmement puissant. Mais je m'égare… Les deux manuscrits avaient besoin d'une légère réfection – juste un nettoyage soigneux avec un petit film polyester pour retirer la poussière et autres impuretés. Quand je suis entré dans la bibliothèque, j'en aurais pleuré : l'eau qui coulait du plafond était tombée sur les manuscrits. Quelques gouttes, rien de plus, mais suffisamment pour transférer un peu d'encre de *Moby Dick* sur une page du manuscrit d'*Alice*.

— Que s'est-il passé ensuite ? demanda
M. Berger.

Le ton de M. Gedeon se fit solennel.

— Pendant vingt-quatre heures, dans tous
les exemplaires existants d'*Alice au pays des
merveilles,* le Chapelier fou a pris le thé en
compagnie d'une baleine.

— Pardon ? Je ne me souviens pas de cette
scène…

— Personne ne s'en souvient à part moi.
J'ai travaillé d'arrache-pied pour nettoyer le
passage en question et effacer petit à petit
toute trace de l'encre de Melville. *Alice au
pays des merveilles* est retourné à son état anté-
rieur mais, durant toute cette journée, chaque
exemplaire du roman et chaque commentaire
critique du texte de Melville ont accueilli
dans ses pages une baleine blanche en train
de prendre le thé.

— Mon Dieu ! Ainsi, on peut modifier
les livres ?

— Seulement ceux qui figurent dans nos collections. Ce sont eux qui, ensuite, contaminent tous les autres. Voyez-vous, monsieur Berger, la bibliothèque Caxton n'est pas seulement une bibliothèque : la rareté de ses livres et leurs liens avec les personnages en font la bibliothèque des origines par excellence, l'*ur*-bibliothèque. C'est pourquoi nous prenons autant soin de nos pensionnaires. C'est obligatoire. Aucun livre n'est vraiment figé. Chaque lecteur le lit à sa façon, et chaque ouvrage produit une impression différente sur ses lecteurs. Ici, les livres sont spéciaux. Ils sont la source de toutes les copies à venir. Je vous assure, il ne se passe pas un jour sans que cet endroit me réserve son lot de surprises. C'est la vérité !

Mais M. Berger n'écoutait plus M. Gedeon. Il repensait à Anna et à l'atrocité de ses derniers moments, quand le train approchait. Il repensait à sa peur, à sa souffrance, et à la malédiction qui l'obligeait à revivre son destin à cause de la puissance du livre qui portait son nom.

Mais le contenu des livres n'était pas figé. Il pouvait faire l'objet d'interprétations différentes, mais aussi de modifications.

Le cours du destin pouvait être changé.

13

M. Berger ne passa pas tout de suite à
l'acte. Il ne s'était jamais considéré comme
un être manipulateur et il voulait croire que,
s'il s'efforçait de gagner peu à peu la confiance
de M. Gedeon, c'était autant pour profiter de
l'agréable compagnie du charmant vieillard
et assouvir sa fascination pour les collections
de la bibliothèque Caxton, que par désir de
sauver Anna Karénine de prochaines collisions
fatales avec des locomotives.

Du reste, cela n'était pas tout à fait faux.
M. Berger appréciait sincèrement les heures
partagées avec M. Gedeon car le vieil homme
était une manne inépuisable d'informations
sur la bibliothèque et l'histoire de ses prédé-
cesseurs. De la même façon, aucun bibliophile

n'aurait pu rester indifférent à l'inventaire de la bibliothèque. Chaque journée passée parmi ses piles mettait au jour de nouveaux trésors, certains achetés uniquement pour leur rareté, sans lien avec un personnage particulier : manuscrits annotés remontant à la naissance du mot imprimé, œuvres poétiques de Donne, Marvell et Spenser ; notes de la main de Dickens – M. Berger en était quasiment certain – concernant les chapitres inachevés de son dernier roman, *Le Mystère d'Edwin Drood* ; et deux exemplaires, pas moins, du Premier Folio des œuvres de Shakespeare. L'un de ces exemplaires avait appartenu à Edward Knight en personne, souffleur de la troupe des King's Men et relecteur présumé des manuscrits sources. Les marges étaient noircies de corrections car des erreurs et des variantes s'étaient glissées dans cette édition, le Folio étant encore en cours de relecture au moment de l'impression.

Le dossier non répertorié où M. Berger avait trouvé les notes de Dickens contenait aussi une version alternative des derniers chapitres de *Gatsby le Magnifique* dans laquelle, lors de l'accident de voiture qui coûte la vie à Myrtle, c'est Gatsby et non Daisy qui est au volant. En chemin pour rendre visite à Anna Karénine, M. Berger avait jeté un rapide coup d'œil aux appartements de Gatsby. Par un des miracles de la bibliothèque, ils consistaient uniquement en une pool-house et une piscine – laquelle n'incitait guère à la baignade en raison de la présence d'un matelas dégonflé et ensanglanté.

En voyant Gatsby à la fois charmant et tourmenté, et en découvrant l'autre fin de ce livre auquel il avait donné son nom – comme Anna –, M. Berger se demanda ce qui se serait produit si Fitzgerald avait choisi de publier la version détenue par la bibliothèque Caxton. Le fait que ce soit Daisy qui conduise pendant cette nuit fatale aurait-il changé le destin final de Gatsby ? Sans doute pas, raisonna-t-il : il y aurait toujours eu un matelas crevé et taché de sang dans la piscine, mais la mort de Gatsby aurait été moins tragique, moins noble.

Le fait qu'il puisse réfléchir en ces termes aux fins alternatives confirma la conviction de M. Berger : le destin d'Anna pouvait être modifié. C'est ainsi qu'il se mit à passer de plus en plus de temps dans la section de la bibliothèque consacrée aux livres de Tolstoï, afin de se familiariser avec l'histoire d'*Anna Karénine*. Ses recherches révélèrent que ce roman décrit par Dostoïevski et Nabokov comme une « perfection » présentait tout de même des faiblesses à l'époque de sa parution. Il avait d'abord été publié sous forme de feuilleton à épisodes dans le *Messager russe* à partir de 1873 mais, l'éditeur de la revue s'étant plaint à Tolstoï de la scène finale, c'est seulement sous forme de livre que la version intégrale de l'histoire avait été rendue publique, en 1878. La bibliothèque Caxton possédait à la fois la version en feuilleton et l'édition originale russe. Comme M. Berger n'avait qu'une connaissance limitée de la langue de Tolstoï – c'est un euphémisme – et qu'il n'avait pas envie de se risquer à des retouches sur le texte russe, il décréta que la première édition en anglais (Thomas Y. Crowell & Co., New York, 1886) ferait probablement l'affaire.

Les semaines et les mois passèrent sans qu'il se mette au travail. Non seulement redoutait-il de se lancer dans une entreprise qui le verrait trifouiller l'un des chefs-d'œuvre de la littérature mondiale, mais la présence constante de M. Gedeon dans la bibliothèque ne lui facilitait pas la tâche. Le bibliothécaire n'était pas encore assez en confiance pour lui remettre un double de la clé, et il gardait toujours un œil sur son visiteur. Pendant ce temps, M. Berger remarqua la nervosité croissante d'Anna qui, au beau milieu de conversations sur les livres et la musique ou pendant une de leurs parties de whist ou de poker, devenait soudain distante et murmurait le nom de ses enfants ou de son amant. En outre, elle prenait depuis quelque temps un intérêt qu'il jugeait morbide à la lecture de certains horaires de trains.

Enfin, le sort lui offrit l'occasion qu'il cherchait. Le frère de M. Gedeon, qui vivait à Bootle, retomba malade, et si gravement que ses jours semblaient comptés. Obligé de partir sur-le-champ s'il voulait le revoir avant son trépas, M. Gedeon confia à M. Berger, non sans une infime hésitation, les soins de la Bibliothèque privée Caxton/Prêt & Dépôt De Livres. Il lui remit les clés et le numéro de sa belle-sœur à Bootle en cas d'urgence, puis partit hâtivement pour attraper le dernier train du soir en direction du nord.

Pour la première fois, M. Berger se retrouva seul à l'intérieur de la bibliothèque. Il ouvrit la valise qu'il avait préparée lorsque M. Gedeon l'avait convoqué et en sortit une bouteille de brandy ainsi que son stylo préféré. Il se versa une généreuse rasade d'alcool – plus généreuse sans doute que la prudence l'eût conseillé, admettrait-il plus tard – et alla sortir de son rayonnage l'édition Crowell d'*Anna Karénine*. Il posa le volume sur le bureau de M. Gedeon et le feuilleta jusqu'à la section qui l'intéressait. Il avala une gorgée de brandy, suivie d'une autre, puis d'une autre encore. Il était, après tout, sur le point de modifier l'un des plus grands romans jamais écrits : un remontant lui semblait de rigueur.

Il regarda son verre, presque vide. L'ayant rempli à nouveau, il but une autre rasade et, ragaillardi, ôta le capuchon de son stylo. Après avoir adressé une prière silencieuse au dieu de la Littérature, il biffa de trois rayures un paragraphe complet.

C'était fait.

Il se resservit un verre. Tout s'était déroulé plus facilement qu'il ne l'avait cru. Une fois l'encre sèche, il rangea l'édition Crowell à sa place. À présent, il se sentait plus qu'un peu pompette. Il retournait vers le bureau quand son œil fut attiré par un titre : *Tess d'Urberville* de Thomas Hardy, dans l'édition originale Osgood, McIlvaine & Co., Londres, 1891.

M. Berger avait toujours détesté la fin de *Tess d'Urberville.*

Oh, allez, se dit-il, quand il y en a pour un, il y en a pour deux.

Il prit le roman sur l'étagère, le coinça sous son bras et, bientôt, se plongea joyeusement dans la réécriture des chapitres 58 et 59. Et cela dura ainsi toute la nuit. Quand le sommeil s'empara enfin de lui, la bouteille de brandy était vide et des piles de livres encombraient le bureau.

À vrai dire, M. Berger s'était laissé quelque peu emporter.

14

Dans l'histoire de la bibliothèque Caxton, la courte période qui suivit les « améliorations » apportées par M. Berger aux grands chefs-d'œuvre du roman et du théâtre est connue sous le nom de « Période du Chaos », et offre un bon exemple des raisons pour lesquelles il vaut mieux éviter ce genre d'expérimentation.

Le premier signe auquel M. Gedeon comprit que quelque chose ne tournait pas rond fut une affiche sur le fronton de la Liverpool Playhouse. Il l'aperçut alors qu'il s'apprêtait à prendre le train pour Glossom, laissant derrière lui un frère miraculeusement guéri qui menaçait déjà de traîner ses médecins en justice. Le théâtre jouait *La Comédie de Macbeth*.

M. Gedeon relut deux fois le titre, et partit aussitôt en quête d'une librairie. Il y trouva un exemplaire de *La Comédie de Macbeth*, que le préfacier décrivait comme « l'une des pièces les plus troublantes de la maturité artistique de Shakespeare, mêlant curieusement la violence et un humour décalé frôlant le comique troupier ».

— Seigneur ! gémit M. Gedeon à haute voix. Qu'a-t-il fait ? Et qu'a-t-il fait *d'autre* ?

Il réfléchit longuement, tentant de se souvenir des romans ou des pièces à propos desquels M. Berger avait émis de sérieuses réserves. Il crut se rappeler l'avoir entendu se plaindre du dénouement lacrymal du *Conte de deux villes*. Un rapide examen du livre en question révéla que, dans la scène finale, Sydney Carton était sauvé de la guillotine par l'intervention du Mouron Rouge aux commandes d'un avion de chasse. Une note de bas de page précisait que cet épisode inspirerait à la baronne Orczy, quelques décennies plus tard, une célèbre série de romans.

— Mon Dieu, souffla M. Gedeon.

Puis vint le tour de Thomas Hardy.

L'épilogue de *Tess d'Urberville* voyait Tess s'échapper de prison avec l'aide d'une équipe d'experts en démolition emmenée par Angel Clare. Dans *Le Maire de Casterbridge,* Michael Henchard s'installait dans une chaumière couverte de roses, non loin de sa belle-fille tout juste mariée, et se lançait dans l'élevage des chardonnerets. En conclusion de *Jude l'obscur*, Jude Fawley échappait au piège tendu par Arabella et, au lieu de mourir après sa visite désespérée à Sue sous une pluie glaçante, il repartait avec elle et tous deux coulaient des jours heureux à Eastbourne.

— C'est horrible, lâcha M. Gedeon, tout en reconnaissant qu'il préférait nettement les fins des romans de Hardy revues et corrigées par M. Berger.

Enfin, il se pencha sur *Anna Karénine*. Il eut besoin d'un peu plus de temps pour identifier la modification car celle-ci était plus subtile que les autres : ce n'était pas une réécriture maladroite, mais une simple suppression. Cela restait tout aussi indéfendable, mais il comprenait les raisons qui avaient poussé M. Berger à effectuer cette retouche. Si M. Gedeon avait éprouvé des sentiments comparables envers l'un de ses personnages, peut-être aurait-il lui aussi trouvé le courage d'intervenir de cette façon. Ils étaient si nombreux à souffrir des décisions prises par des auteurs impitoyables – à commencer par ce satané Hardy ! Mais la priorité de M. Gedeon était, depuis toujours, les livres. Aussi légitimes aient-elles pu sembler à M. Berger, ses interventions devaient être annulées.

M. Gedeon reposa l'exemplaire d'*Anna Karénine* sur le rayonnage et partit en direction de la gare.

15

M. Berger se réveilla avec une effroyable gueule de bois. Il mit du temps à se rappeler où il se trouvait, sans parler de ce qu'il avait bien pu faire. Sa bouche était sèche, une affreuse migraine lui martelait les tempes et, après avoir dormi affalé sur le bureau de M. Gedeon, une raideur douloureuse lui tétanisait la nuque et le dos. Il se prépara un thé avec des toasts – dont il parvint à garder la majeure partie dans son estomac – puis avisa, horrifié, la pile d'éditions originales qu'il avait violentées dans la nuit. Il avait la vague impression qu'elles ne représentaient pas l'intégralité de ses efforts car, parmi ses souvenirs embrumés, il se voyait en remettre d'autres sur leurs étagères en chantonnant gaiement. Pour autant, il était incapable de se rappeler les titres des ouvrages en question. Il se sentait tellement malade et tellement accablé qu'il ne voyait aucune raison de rester éveillé. Il alla se blottir, recroquevillé, sur le canapé, en espérant que dès qu'il rouvrirait les yeux, le monde de la littérature se serait comme par miracle auto-corrigé et que l'intensité de son mal de crâne aurait diminué. La seule modification qu'il ne regretta pas immédiatement concernait la fin d'*Anna Karénine*. Dans ce cas précis, son stylo avait vraiment travaillé avec amour.

Il se réveilla l'esprit toujours embrumé. M. Gedeon se dressait devant lui. Son visage exprimait un mélange de colère et de décep-tion, sans une once de compassion.

— Il faut qu'on ait une petite discussion, monsieur Berger. Mais, avant de commencer, je vous suggère d'aller vous rafraîchir.

M. Berger se rendit dans la salle d'eau. Après s'être aspergé d'eau froide le visage et le torse, il se lava les dents, se peigna et tenta de se rendre aussi présentable que possible. Il se sentait un peu comme un condamné à mort désireux de faire bonne impression devant le bourreau. Il retourna dans le salon où flottait une forte odeur de café. Le thé, dans son cas, risquait d'être insuffisant pour la tâche qui l'attendait. Il s'assit en face de M. Gedeon, occupé à inspecter les livres réécrits. Désormais, ses sentiments tempérés avaient laissé place à une fureur sans nom.

— C'est du vandalisme ! s'écria-t-il. Vous êtes conscient de ce que vous avez fait ? Vous avez non seulement corrompu le monde de la littérature en changeant les histoires des personnages dont nous nous occupons, mais aussi massacré les collections de la bibliothèque Caxton ! Comment peut-on se considérer comme un amoureux des livres et agir de la sorte ?

M. Berger n'osait croiser le regard du bibliothécaire.

— Je l'ai fait pour Anna, se défendit-il. Je ne supportais pas de la voir souffrir à ce point.

— Et les autres ? Jude, Tess, Sydney Carton ? Et – grands dieux ! – ce pauvre Macbeth ?

— Ils me faisaient de la peine. Si leurs créateurs avaient su que dans le futur, leurs personnages allaient prendre forme dans le monde physique, chargés du poids des souvenirs et des expériences qu'ils leur avaient infligés, n'auraient-ils pas réfléchi à deux fois avant d'imaginer leur fin ? Dans le cas contraire, ce ne serait ni plus ni moins que du sadisme !

— Mais ça n'est pas comme ça que la littérature fonctionne ! Ça n'est même pas comme ça que le *monde* fonctionne. Les livres sont écrits une bonne fois pour toutes. Ce n'est ni à vous ni à moi de commencer à les retravailler. En modifiant leur dénouement, c'est leur place au sein du panthéon littéraire et, au-delà, du monde, que vous mettez en péril ! Si nous allions faire un tour dans les appartements de la bibliothèque maintenant, je ne serais pas étonné qu'une dizaine ou plus soient inoccupés, sans aucune trace de l'existence de leurs anciens occupants !

M. Berger n'avait pas pensé à cela. Il ne s'était jamais senti aussi pitoyable.

— Je suis désolé. Tellement, tellement désolé… Il n'y a rien que l'on puisse faire ?

M. Gedeon se leva et alla ouvrir une grande armoire dans un coin de la pièce. Il en sortit un coffret contenant son nécessaire à restauration : adhésifs, bobines de ficelle, scotch, poids de relieur, rouleaux de bougran, aiguilles, pinceaux et poinçons. Il posa le coffret sur son bureau, y ajouta plusieurs petits flacons remplis de différents liquides puis se retroussa les manches, alluma les lumières et fit signe à M. Berger de s'installer à côté de lui.

— Acide muriatique, acide citrique, acide oxalique, acide tartrique, énuméra le bibliothécaire en tapotant un à un les flacons.

Il mélangea précautionneusement les trois derniers acides dans un bol et ordonna à M. Berger d'appliquer la solution sur l'encre des passages réécrits dans *Tess d'Urberville.*

— Elle efface les traces d'encre manuelles et préserve l'encre de l'imprimeur. Faites très attention, prenez votre temps. Badigeonnez, attendez quelques minutes puis essuyez et laissez sécher. Répétez l'opération jusqu'à disparition complète de votre encre. Et maintenant, au travail ! Nous avons beaucoup à faire.

Ils en eurent pour toute la nuit et une partie du matin. L'épuisement les obligea à s'accorder un petit somme mais, dès le début de l'après-midi, ils se remirent à la tâche. Tard dans la soirée, l'essentiel des dégâts avait été réparé. M. Berger avait même réussi à se rappeler tous les titres des livres rangés sur les étagères – tous, sauf un : *Hamlet*. Il s'était employé à abréger la tragédie de Shakespeare, mais n'était pas allé plus loin que les scènes IV et V de l'acte I, desquelles il avait retiré deux ou trois monologues du prince. En conséquence de quoi, la scène IV commençait avec l'apparition, à minuit, du spectre du père de Hamlet, suivie de quelques dialogues rapides après lesquels, dès le milieu de la scène V, on arrivait déjà au matin. Lorsque, des décennies plus tard, les coupes effectuées par M. Berger furent découvertes par la bibliothécaire qui allait lui succéder, elle décida de ne pas y toucher car elle aussi trouvait *Hamlet* suffisamment long comme ça.

Dans la soirée, M. Gedeon et M. Berger rendirent visite aux personnages dans leurs appartements. Ils étaient tous là, en bon état. Macbeth semblait cependant de fort meilleure humeur qu'autrefois – et le resterait par la suite.

Le seul livre à ne pas avoir été réparé était *Anna Karénine*.

— Il le faut vraiment ? demanda M. Berger. Si vous me répondez « oui », j'accepte votre décision, mais je ne peux pas m'empêcher de trouver Anna différente des autres personnages. Aucun ne se sent poussé à agir comme elle. Aucun n'est désespéré au point de chercher à oublier son sort encore et encore. Ce que j'ai fait n'altère pas fondamentalement le pic dramatique du roman, il ajoute juste un peu d'ambiguïté. *Juste un peu...* Elle n'a peut-être pas besoin de plus.

M. Gedeon examina le livre. Certes, il était le bibliothécaire et le gardien du contenu de la Bibliothèque privée Caxton/Prêt & Dépôt De Livres, mais il était aussi responsable de leurs personnages. Il avait des devoirs envers eux et envers les livres. Les uns avaient-ils la priorité sur les autres ? Il repensa aux paroles de M. Berger : si Tolstoï avait su que, par la force de son talent littéraire, son héroïne serait condamnée à se définir éternellement par son suicide, n'aurait-il pas eu envie d'adoucir sa prose afin de lui accorder une certaine sérénité ?

N'était-il pas exact, aussi, que la fin de son roman était de toute façon ratée ? Au lieu d'offrir au lecteur une réflexion sur la mort d'Anna, Tolstoï avait préféré s'appesantir sur le retour de Lévine à la religion, le soutien de Kosnichev aux Serbes et l'engagement de Vronsky pour défendre la cause slave. Il avait même confié à l'affreuse mère de Vronsky le soin de l'ultime allusion à la mort d'Anna : « Elle est morte comme une mauvaise femme, une femme sans religion. » Anna ne méritait-elle pas une meilleure épitaphe ?

M. Berger avait simplement rayé trois lignes à la fin du chapitre 31 :

« *Le petit moujik interrompit ses marmonnages et tomba à genoux devant le corps brisé. Il murmura une prière pour l'âme de la jeune femme mais, si sa mort avait été accidentelle, elle n'avait plus besoin de prière car elle était auprès de Son Créateur. S'il en allait différemment, alors aucune prière ne pouvait plus la sauver. Mais il continua de prier.* »

Il lut le paragraphe précédent :

« *Et la lumière qui pour l'infortunée avait éclairé le livre de la vie, avec ses tourments, ses trahisons et ses douleurs, brilla soudain d'un plus vif éclat, illumina les pages demeurées jusqu'alors dans l'ombre, puis crépita, vacilla et s'éteignit pour toujours.* »

C'est vrai, se dit M. Gedeon : le chapitre 31 pourrait aussi bien s'arrêter ici, et Anna trouverait la paix.

Il referma le volume, entérinant ainsi la correction de M. Berger.

— Restons-en là, voulez-vous ? Je vous laisse le remettre à sa place.

M. Berger prit le livre avec solennité et alla le reposer doucement, amoureusement, sur son étagère. Il eut envie de passer voir Anna une dernière fois mais demander la permission à M. Gedeon aurait été déplacé. Il avait fait tout ce qui était en son pouvoir pour elle, et il espérait simplement que cela suffirait. Il retourna dans le salon et posa la clé de la bibliothèque Caxton sur la table.

— Au revoir, dit-il. Et merci.

M. Gedeon hocha la tête sans répondre. Et M. Berger quitta la bibliothèque sans se retourner.

16

Dans les semaines qui suivirent, M. Berger repensa souvent à la bibliothèque Caxton, à M. Gedeon et, plus que tout, à Anna. Mais il ne retourna plus dans la ruelle, évitant même consciencieusement de s'aventurer dans cette partie de la ville. Il reprit ses lectures et ses promenades le long de la voie ferrée. Chaque soir, il attendait le dernier train, et celui-ci passait sans aucun incident. Anna, se dit-il, devait avoir été libérée de son tourment.

Un soir, tandis que l'été approchait, on frappa à sa porte. Il alla ouvrir et tomba nez à nez avec M. Gedeon. Il se tenait sur le seuil avec deux valises, et un taxi l'attendait près du portail du jardinet. M. Berger ne put cacher sa surprise et l'invita à entrer, mais M. Gedeon déclina la proposition.

— Je pars. Je suis fatigué et je n'ai plus l'énergie de mes jeunes années. L'heure de la retraite a sonné pour moi, il est temps que je confie les clés de la bibliothèque Caxton à mon successeur. J'en ai eu l'intuition dès le premier soir, quand vous avez suivi Anna. La bibliothèque trouve toujours son nouveau bibliothécaire et l'attire jusqu'à sa porte. J'ai pensé que j'avais pu me tromper quand vous avez modifié les livres et je me suis résigné à attendre un autre visiteur mais, petit à petit, j'ai fini par comprendre que c'était bien vous. Votre seule erreur a été d'aimer un peu trop un personnage, ce qui vous a conduit à commettre de mauvais actes pour de bonnes raisons. Il est fort possible que nous ayons tous les deux tiré la leçon de cet incident. Je sais que la bibliothèque Caxton et ses personnages seront entre de bonnes mains avec vous, jusqu'à ce qu'un nouveau bibliothécaire se présente. Je vous ai laissé une lettre contenant toutes les informations nécessaires, ainsi qu'un numéro de téléphone pour me joindre en cas de besoin. Mais je suis sûr que vous vous débrouillerez très bien.

Il tendit à M. Berger un grand trousseau de clés. Après un bref moment d'hésitation, M. Berger l'accepta et M. Gedeon laissa couler une larme en confiant à leur nouveau gardien la bibliothèque et ses personnages.

— Ils vont me manquer terriblement, vous savez.

— N'hésitez pas à passer nous voir, chaque fois que vous le souhaiterez, lui assura M. Berger.

— Peut-être, oui…

Mais M. Gedeon ne revint jamais.

Ils se serrèrent la main. M. Gedeon partit, et ce fut la dernière fois qu'ils se virent et qu'ils se parlèrent.

17

La Bibliothèque privée Caxton ne se trouve plus à Glossom. Au début de ce siècle, des promoteurs immobiliers ont mis la main sur la ville, et le terrain autour de la bibliothèque a été racheté pour accueillir des maisons et un centre commercial. Ce vieux bâtiment étrange tout au bout de la ruelle a commencé à susciter des questions et, un soir, un long convoi de camions anonymes, conduits par des chauffeurs anonymes, est venu se garer juste devant l'entrée. En une nuit seulement, l'intégralité du contenu de la Bibliothèque privée Caxton – livres, personnages et tout le reste – s'est évanoui pour réapparaître dans un nouvel édifice situé dans un petit village en bord de mer, loin, très loin des villes et des voies ferrées.

Le bibliothécaire, devenu très vieux et plus qu'un peu voûté, aime se promener le soir sur la plage en compagnie d'un petit terrier et, par temps clément, d'une belle femme au visage pâle et aux longs cheveux noirs.

L'été se fondait dans l'automne quand, un soir, des coups résonnèrent à la porte de la Bibliothèque privée Caxton. Le bibliothécaire ouvrit ; devant lui se tenait une jeune femme avec, à la main, un exemplaire de *La Foire aux vanités*.

— Pardonnez-moi, dit-elle. Je sais que cela va vous paraître un peu bizarre, mais je suis absolument certaine d'avoir croisé tout à l'heure sur la plage un homme qui ramassait des coquillages et qui ressemblait à Robinson Crusoé. Je viens de le voir entrer dans cette…

Elle déchiffra l'inscription sur la petite plaque de cuivre à sa droite.

— … *bibliothèque* ?

M. Berger ouvrit la porte en grand.

— Je vous en prie, entrez. Vous allez trouver cela tout aussi bizarre mais je crois bien que je vous attendais…

Entretien
avec John Connolly

Dans un premier temps, j'aimerais vous poser une question au sujet du titre (en anglais : *The Caxton Lending Library & Book Deposery*) : il est un peu solennel, presque comme une formule magique, une sorte de « *Sésame, ouvre-toi !* ». Est-ce intentionnel ?

En vérité, à l'origine, le titre était différent : je l'avais nommé « *The Ur-Library of Glossom* ». Mais Otto Penzler (*directeur de la collection Bibliomysteries et fondateur de la maison d'édition Mysterious Press en Grande-Bretagne*), qui a d'abord publié le roman aux États-Unis sous le label Mysterious Press, estimait que « *The Caxton Private Lending Library...* » fonctionnait mieux, et il avait raison. Mon premier titre était horrible, et je préfère de loin celui-là. Je ne trouve pas qu'il soit solennel, au contraire, il est plutôt excentrique – un peu comme la bibliothèque justement.

Où avez-vous puisé l'inspiration pour écrire ce roman court ?

Ma façon d'écrire des romans courts est un peu particulière. En général, je commence par avoir une idée d'histoire, et ensuite j'attends que quelqu'un vienne vers moi avec une idée d'anthologie où mon histoire pourrait s'insérer. J'ai l'impression que les autres écrivains parviennent à écrire des histoires sur commande – par exemple, si on fait une anthologie sur des histoires de charpenterie, ils vous écriront une histoire sur la charpenterie. Moi c'est le contraire. J'aurais une idée d'histoire sur la charpenterie, mais je ne l'écrirai pas tant que quelqu'un ne m'aura pas contacté avec leur idée géniale d'anthologie sur la charpenterie et le travail du bois !

Pour revenir à la question, cela fait un moment que cette histoire me trotte dans la tête : celle d'un type tombant sur une femme qui se jette sous un train, et qui disparaît soudainement, pour ensuite découvrir qu'il peut modifier le destin des personnages de littérature en gribouillant sur les manuscrits originaux ou les premières éditions des livres. Quand Otto m'a demandé de faire un « bibliomystery » pour sa collection, j'ai tout de suite su que je devais creuser cette idée.

Tout le roman est écrit comme un conte, avec un style élégant, élaboré et surtout très littéraire, ce qui contribue à lui donner une dimension intemporelle – comme les

contes –, mais en même temps, l'histoire reste très contemporaine. Pourriez-vous nous en dire un peu plus sur la notion de temps dans le roman ?

Eh bien, le roman part du principe que les livres et leurs personnages existent hors du temps, qu'ils ont leur propre dimension en quelque sorte. Je suppose qu'en cela, c'est l'opposé d'une nouvelle comme celle de Jorge Luis Borges, *Pierre Ménard, auteur du « Quichotte »*, qui postule – à mon sens – que toutes les histoires sont le produit de leur époque et ne peuvent exister en dehors de cet espace-temps. Toutefois, beaucoup d'encre a coulé pour tenter d'expliquer l'histoire de Borges, et je ne suis pas non plus certain de l'avoir parfaitement comprise.

M. Berger est incapable de communiquer avec les autres, on dirait presque

qu'il vit par procuration grâce aux livres. Quel est votre sentiment sur le sujet ? Est-ce que vous vous retrouvez dans ce personnage ?

Enfant, j'ai toujours vu le monde à travers les livres, ce que j'ai d'ailleurs exploré dans mon roman, *Le Livre des choses perdues*, publié en 2006. Je pense que nous autres amateurs de livres, qu'on soit lecteur ou auteur (ou les deux !), les utilisons comme un prisme qui nous permet de mettre en lumière une expérience, mais aussi un moyen d'appréhender et de mieux comprendre le monde qui nous entoure. M. Berger en est un exemple poussé à l'extrême, je suppose. Mais là encore, en tant qu'écrivain, je passe le plus clair de mon temps à lire, à écrire, ou à penser à ce que je vais écrire... Donc je lui ressemble un peu au final.

M. Berger n'a qu'une seule chose en tête : sauver Anna de son terrible destin. Cela devient une telle obsession qu'il commet le sacrilège de réécrire la fin du roman de Tolstoï – ou plus précisément d'en effacer un paragraphe. Avez-vous déjà ressenti cette envie de pouvoir changer le destin d'un personnage que vous aimiez ? Est-ce pour cela que vous avez écrit cette histoire ?

D'une certaine manière, en tant qu'écrivain, je détermine déjà le destin de toute une gamme de personnages. Mais pour citer Héraclite, « le caractère d'un homme définit son destin ». Je pense qu'il y a sûrement des moments où, en tant que lecteur, on aimerait que le destin d'un personnage soit différent. Un auteur comme Thomas Hardy, par exemple, semble adapter ses personnages de telle manière à ce que leur destin tragique soit inévitable. D'ailleurs, dans *Prière d'achever*, M. Berger tente de changer la fin des romans de Thomas Hardy. En ce sens, il me permet de mettre en scène mes propres sentiments sur le sujet. Je n'ai jamais aimé comment se termine *Tess d'Uberville*, donc je trouve les efforts de M. Berger pour en altérer la fin très louables.

Quand on lit votre histoire, on se retrouve pris au jeu, à essayer d'imaginer ce qui se passerait et comment réagir si on rencontrait, disons, le capitaine Achab dans la rue. Est-ce là ce que vous avez essayé de réaliser : pousser le lecteur à imaginer des choses qu'ils n'auraient pas cru possibles autrement ? Est-ce ce qui vous plaît dans le fantastique ?

Je n'ai jamais considéré *Prière d'achever* comme une histoire fantastique, loin de là. C'est une histoire sur les livres et sur les lecteurs, qui me permet d'assouvir la fascination que j'ai toujours eue dans mon travail pour l'idée que les livres sont des objets changeants, et non pas fixes. Qu'ils trouvent leur sens dans les expériences personnelles que chaque lecteur apporte avec lui. Pour ses propres raisons, M. Berger lit *Anna Karénine* d'une certaine manière : c'est ce qui le pousse à agir comme il le fait dans l'histoire. Un autre lecteur se serait peut-être contenté de la fin du roman, mais ce n'est pas le cas de M. Berger, notamment parce qu'il a personnellement rencontré Anna. Soudain, elle devient non plus l'objet de l'auteur, mais un être réel, tangible, à qui il tient. N'est-ce pas là le propre d'une grande œuvre ? De nous faire croire en des personnages qui n'existent pourtant pas dans la réalité. De les rendre vivants.

Au final, que pensez-vous que cela signifie pour M. Berger d'avoir « sauvé » Anna ?

Je pense qu'il est simplement heureux qu'elle ne se sente plus obligée de sauter sous des trains. Mais cela lui permet aussi de trouver sa propre place dans le monde, comme gardien et conservateur des livres et de leurs personnages, aussi bien de leur aspect immatériel que physique. À une époque où des hommes ou des femmes égoïstes et ignorants (qui se font appeler écrivains) semblent se réjouir de voir des librairies fermer, et dansent sur ce qu'ils estiment être la tombe du livre papier, M. Berger symbolise ceux qui ont compris le rôle du livre dans le continuum.

Le mélange de roman policier et de fantastique est particulièrement intéressant. Pourquoi l'avoir choisi ?

Comme beaucoup d'écrivains, j'écris ce que je lis, et ce que j'ai lu quand j'étais adolescent, c'étaient des romans policiers et des romans fantastiques. Quand j'ai commencé à écrire mes propres histoires, cela m'a semblé tout naturel de réunir les deux genres. Je n'avais pas réalisé à l'époque que cela ne serait pas bien vu par certains, notamment des auteurs de policiers, qui n'aiment pas trop qu'on sorte des sentiers battus. Il y a toutefois une réelle tension entre les racines « rationalistes » du roman policier et l'anti-rationalisme inhérent au genre fantastique. Cela ne veut pas dire que les deux ne sont pas compatibles. Je pense justement que quelque chose d'intéressant et de nouveau peut résulter de cette tension.

Composition et mise en pages
Nord Compo à Villeneuve-d'Ascq

Cet ouvrage a été achevé d'imprimer en février 2015
Chez CPI, Espagne.
N° d'édition : L.01ELON000130B002
Dépôt légal : novembre 2014